UN MULTIGUIDE JARDINAGE

Sur simple demande de votre part,
les éditions Elsevier Séquoia
1, rue du 29-Juillet, 75001 Paris
Avenue Louise 142, bte 8, 1050 Bruxelles
se feront un plaisir
de vous tenir au courant de leurs publications.

Toutes les fleurs et plantes de nos jardins

J. Tykac et V. Vanek

Elsevier Séquoia   **Paris-Bruxelles**

Le présent multiguide a été réalisé
avec la collaboration de :

Christine Cabu et *Claude Devroye*
pour la coordination générale

Anne-Marie Lombard
pour la traduction française

Pierre van Roemburg et *Bernard Fasbender*
pour la coordination technique

Edition originale :
© 1977 Artia, Prague

Pour l'édition française:
© 1979 Elsevier Séquoia, Bruxelles

Imprimé en Tchécoslovaquie par Svoboda, Prague, au mois de janvier 1979

ISBN 2-8003-0278-X
Dépôt légal : D/1978/0027/038

Source des illustrations :
Photo de couverture : Editions Marshall Cavendish, Londres.
Photos intérieures en couleurs : M. Blazek (4), D. Drsata (7), Z. Humpal (6), J. Marco (6), F. Preucil
C. Raab (8), V. J. Stanek (9), A. Tykacova (118), V. Vanek (282), V. Vrbik (1).
Photo en noir et blanc : E. Hase.
Dessins-traits en noir et blanc : J. Kincl.

3/07/07/53-01

Sommaire

La classification des plantes d'ornement

Du début du printemps au milieu de l'automne, les plantes de jardin réjouissent chacun par le jeu chatoyant de leurs formes et de leurs coloris. Les plantes sont appréciées en fonction de leurs fleurs, de leur feuillage et de leur forme, et on le groupe selon leurs caractéristiques en **plantes annuelles, plantes vivaces et arbustes.**

Parmi les plantes qui ne fleurissent qu'une seule fois, on distingue les annuelles et les bisannuelles, les vivaces quant à elles fleurissent plusieurs années de suite et les arbustes sont des plantes ligneuses qui vivent encore bien plus longtemps. Selon les conditions climatiques, les plantes annuelles durent parfois quelques années et les plantes vivaces deviennent ligneuses, si bien qu'il est difficile de délimiter ces groupes avec précision. La distinction est par conséquent purement pratique et non botanique.

• Dans nos pays de zone tempérée, les **plantes annuelles** ne vivent guère plus d'une année. La plupart du temps, elles sont cultivées à partir de graines, fleurissent avec éclat dans l'année même et meurent une fois les fleurs fanées après avoir fourni de fruits. La plupart des espèces demandent beaucoup de soleil, peu se contentent de l'ombre ou de la pénombre. Leurs couleurs éclatantes animent le jardin et apportent pendant tout l'été une agréable diversion à la verdure environnante. Les plantes **bisannuelles** se cultivent aussi à partir de graines, mais leur vie s'étend sur deux années-calendrier. Souvent, elles ne fleurissent qu'une fois, pendant l'année suivant celle du semis et elles meurent après la floraison. Parmi celles-ci, il y en a qui ont une floraison hâtive au printemps : ce sont notamment les violettes et les myosotis.

Elles se mélangent bien avec les plantes fleurissant plus tard. Certaines, comme les œillets et les campanules sont des fleurs à couper très appréciées.

• Les **plantes vivaces** durent en moyenne de quatre à six ans, certaines même dix ans et plus. Elles comptent plusieurs milliers d'espèces et de variétés différentes et constituent de ce fait le groupe le plus nombreux. On les subdivise selon leurs caractéristiques particulières : dans les plantes **de rocailles** on distingue toutes les vivaces de petite taille ou rampantes (30 cm maximum). Ce sont principalement des plantes **alpines,** bien que toutes les espèces de ce groupe n'apprécient pas un sol sec. Certaines sont originaires de la plaine, et quelques belles espèces sont le résultat d'améliorations artificielles. Ces plantes ne conviennent pas uniquement aux jardins de rocailles, mais peuvent être employées pour fleurir des murets ou comme garniture entre des groupes de plantes vivaces. Elles peuvent aussi remplacer avantageusement le gazon et être utilisées pour des bordures.

Les plantes vivaces proprement dites atteignent 40 cm et plus, certaines ont même 3 mètres de haut. Elles sont un élément décoratif pour le jardin non seulement par leurs fleurs, mais aussi par leurs formes et la couleur de leurs feuilles ou tout simplement par leur silhouette. C'est souvent pour ces caractéristiques qu'elles sont cultivées (par ex. *Hosta, Artemisia, Stachys olympica*).

Dès l'hiver arrivé, la plupart des plantes vivaces meurent en surface (la vie se retirant dans les racines) et refleurissent au printemps suivant. D'autres gardent un feuillage vert pendant tout l'hiver ; d'autres encore ont une vie souterraine après floraison, comme c'est le cas des plantes bulbeuses (par ex. *Papaver orientale, Adonis amurensis, Dicentra spectabilis*).

Les plantes aquatiques, les fougères et les graminées ornementales forment un groupe distinct de plantes vivaces aux exigences biologiques particulières. Elles ne se développent qu'en des endroits bien déterminés du jardin, là où d'autres plantes ne prospèrent pas.

• Les **graminées ornementales** ont une croissance rapide, et se caractérisent souvent par de belles feuilles bien colorées. C'est pourquoi on les emploie pour décorer des parties de jardin laissées à l'état naturel.

• Les **plantes aquatiques,** dont l'espèce la plus connue est le nénuphar, constituent l'ornement des bassins, des étangs et des parties marécageuses du jardin.

• Les **fougères** avec leurs belles feuilles en éventail, conviennent aux endroits ombragés ou mi-ombragés.

• Les **plantes bulbeuses** refleurissent aussi plusieurs années de suite, mais se distinguent des plantes vivaces par leurs racines très développées, oignons ou tubercules, ainsi que par leur mode de croissance.

Leur patrie d'origine est la steppe, c'est pourquoi elles sont habituées, contrairement aux plantes de chez nous, à un printemps humide, de courte durée, et à un été long, chaud et sec. L'humidité du printemps les fait croître rapidement et elles fleurissent tôt. Dès qu'elles sont fanées, tous les éléments nutritifs de la plante se retirent dans l'oignon ou le tubercule et il s'ensuit une période de repos qui dure jusqu'à l'automne. Pendant ce temps, elles supportent une sécheresse accentuée et une grande chaleur. A la fin de l'année, la vie reprend en elles, et au printemps elles recommencent à pousser puis à fleurir.

Cette période de repos a lieu à différentes saisons, et varie selon la situation géographique du pays où elles croissent ; leur résistance aux températures basses est fonction de l'espèce.

Les plantes **rustiques** (tulipes, narcisses, jacinthes, crocus, lis, etc.) supportent même une forte gelée. D'autres, par contre, ne supportent pas les températures inférieures à zéro degré. Il faut alors les retirer du sol en automne et leur faire passer l'hiver à l'abri de la gelée. Au printemps suivant, on les plante à nouveau (glaïeuls, dahlias, bégonias tubéreux, roseaux, *Tigridia pavonia*). Là, où les températures hivernales ne descendent pas au-dessous de zéro dans le sol, il est possible de les laisser au jardin pendant la mauvaise saison.

• Les **arbustes** se divisent en deux groupes : les feuillus et les conifères.

Parmi les **feuillus,** on distingue les espèces à feuillage caduque et celles à feuillage persistant. Leurs fleurs aux coloris vifs, leurs feuilles et leurs fruits sont très décoratifs. Les arbustes grimpants forment un groupe à part.

Les **conifères,** sauf quelques exceptions, ont un feuillage persistant. Ils peuvent parfois se développer au point d'atteindre la taille d'un arbre, ce qu'il ne faut pas perdre de vue au moment de la plantation.

Ceux des conifères qui grandissent peu sont un ornement intéressant pour les petits jardins. Ils se distinguent par la variété de leurs formes (pyramidale, cylindrique, à port buissonnant ou rampant), et offrent une grande variété d'utilisation.

L'utilisation des plantes d'ornement dans le jardin

En parcourant les catalogues d'horticulture, on s'aperçoit de l'étendue des variétés existant pour chaque groupe de plantes. C'est pourquoi il est nécessaire d'opérer un choix et de ne retenir que les espèces convenant à chaque partie du jardin. Ce qui n'est pas toujours aisé : l'aménagement d'un jardin pose parfois des problèmes, dont il faut tenir compte. Il faut aussi faire preuve de sens esthétique et de goût. Mais il faut surtout connaître les plantes ainsi que leurs exigences.

Les plates-bandes

Ce sont en général des parterres de fleurs aux **formes régulières,** qui évoquent l'aspect traditionnel du jardin d'agrément. Elles furent créées à une époque où l'on dessinait principalement les jardins selon des normes géométriques. Le jardin actuel a un aspect moins formel et plus naturel. C'est pourquoi les plates-bandes sont de plus en plus souvent remplacées par des fleurs disposées en groupes libres. Pourtant, elles n'ont pas encore entièrement disparu. Elles ont en général de 1 m à 1,50 m de large. Celles qui ont une forme rectiligne se trouvent principalement à proximité des maisons, le long des chemins, des murs et des clôtures. L'ensemble formé avec une haie ou un mur fleuri est très joli.

Il n'est pas facile de créer de belles plates-bandes. Il faut pour cela connaître les exigences culturales, la grandeur, les coloris et la période de floraison des plantes qui ont été choisies, afin de les **harmoniser** entre elles. On obtient des contrastes de couleurs réussis en mélangeant le rouge avec le jaune et le blanc, mais des fleurs jaunes et bleues, violettes ou roses forment aussi un ensemble agréable.

Les plates-bandes adossées à un mur ou une haie se garnissent de plantes basses à l'avant et hautes à l'arrière. Plusieurs espèces de fleurs de couleurs différentes disposées avec goût sont un spectacle agréable, dont on peut jouir toute l'année, si les plantes ont été judicieusement choisies. Si on choisit les plantes par groupes de 3 à 5 de la même espèce, la plate-bande présente plus d'unité.

L'effet floral est des plus réussis quand toutes les plantes fleurissent au même moment. La **période de floraison** se limite alors à une saison bien définie. Si on désire qu'elle s'étende à toute la belle saison, il faut choisir des plantes fleurissant à des époques différentes pour éviter que la plate-bande ne présente trop d'endroits dégarnis. A vrai dire, beaucoup d'espèces ont une floraison de longue durée, mais aucune ne fleurit du printemps à l'automne.

Quelles sont les fleurs qui conviennent le mieux aux plates-bandes ? Les espèces **annuelles** donnent beaucoup de satisfaction. Elles fleurissent abondamment et souvent longtemps en taches vives et colorées, mais offrent le désavantage de ne fleurir qu'en été et de se faner ensuite. Même si on achète des plants de fleurs déjà développés, ils ne fleuriront qu'à la mi-mai. Il faut en plus renouveler les plantes chaque année.

Les plantes **bulbeuses,** par contre, ont une floraison hâtive (les tulipes dès le mois d'avril). Mais il y a aussi des désavantages : pour pouvoir refleurir plusieurs années de suite, les oignons de tulipes doivent rester un certain temps dans le sol, afin de reprendre des forces, et on ne peut les enlever qu'au moment de mettre en terre les nouvelles plantes. La plate-bande sera donc dégarnie pendant un mois environ. Si les oignons sont enlevés dès que les tulipes sont fanées, ils perdent de leur pouvoir germinatif et doivent être remplacés.

Ce sont les plantes **vivaces** qui offrent le plus d'avantages pour la création d'une plate-bande. Elles demandent peu de soins et ne doivent pas être remplacées chaque année. Une plate-bande de vivaces bien conçue peut garder le même aspect pendant des années.

Les plates-bandes de vivaces sont créées en se basant sur les mêmes règles que pour les parterres d'annuelles. On groupe les fleurs en fonction de la hauteur, de la couleur et de la date de floraison qui varient d'une espèce à l'autre. Certaines vivaces ne fleurissent en moyenne que pendant quatre semaines, mais d'autres, telles que *Heliopsis, Oenothera missouriensis, Gaillardia aristata, Viola cornuta, Rudbeckia fulgida,* etc., fleurissent pendant deux à trois mois. Il est donc possible en choisissant bien les espèces d'obtenir des plates-bandes à floraison très étendue, allant du début du printemps jusqu'au milieu de l'automne. Certaines plantes, après la floraison, gardent un feuillage décoratif et une silhouette agréable. Pour combiner la plantation de vivaces avec des bulbeuses et des annuelles, il suffit de laisser des espaces libres, qui seront garnis ultérieurement. Dans le cas de plantation de bulbeuses telles que les narcisses, quelques tulipes botaniques, les jacinthes, etc., qui resteront plusieurs années en terre, il faut prévoir au même endroit des vivaces qui se développent plus tard et recouvrent de leur feuillage les fleurs fanées. On peut de la même manière camoufler les vides laissés par certaines vivaces (*Dicentra, Papaver orientale*) après leur floraison. On peut donc dès le début du printemps animer l'aspect du jardin au moyen de taches colorées, tout en augmentant l'effet chatoyant par l'adjonction de fleurs annuelles à floraison longue.

Dans les jardins actuels, les plates-bandes ont un aspect **moins formel.** On attache moins d'importance aux différentes hauteurs des plantes et on place des plantes élevées en groupes isolés ou en petits groupes entre des plantes plus petites, ce qui met spécialement en valeur en dehors de la période de floraison le feuillage et la silhouette de la plante. On peut de même utiliser quelques graminées ornementales. La plate-bande a alors un aspect plus aéré et indique déjà la transition vers les groupes de vivaces isolés.

En dernier lieu, il y a encore les plates-bandes **basses,** que l'on peut admirer de quelque côté que l'on se place. Elles ne nécessitent aucun arrière-plan et peuvent être plantées en d'autres lieux du jardin que les plates-bandes adossées, par exemple près d'un banc ou entre la maison et le chemin. Ces plates-bandes se garnissent de vivaces ne dépassant pas 40 à 50 cm de haut : plantes réparties en tapis que l'on dispose en groupes irréguliers avec quelques vivaces plus hautes ou des graminées *(Avena, Deschampsia, Pennisetum, Festuca)* au milieu. On y ajoute des bulbeuses à petit développement dont les fleurs hâtives aux coloris vifs animeront l'ensemble, et dont les feuilles jaunies seront cachées par le tapis de vivaces. Quelques arbustes de taille peu élevée peuvent aussi être utilisés, surtout les espèces telles que *Erica carnea, Calluna vulgaris* et quelques espèces basses de *Cotoneaster, Potentilla* de même que des *Pinus mugo* et autres.

Ce sont les **rosiers** buissons à fleurs en bouquets qui conviennent le mieux aux plates-bandes, soit mélangés à des vivaces, soit groupés entre eux. Ces rosiers, il est vrai, ne commencent à fleurir qu'à la fin de juin, et ne supportent, à cause des soins exigés, l'adjonction d'aucune autre plante. Certaines variétés de rosiers à fleurs en bouquets fleurissent longtemps, avec abondance de fleurs et de coloris.

Les groupes de plantes disposés librement

A l'opposé du tracé des plates-bandes, il s'agit ici d'un **dessin irrégulier,** qui peut avoir n'importe quelle forme, mais garde les principes de base d'une plate-bande. Plusieurs plantes de petite taille, en groupes importants, forment un tapis au niveau du sol, dans lequel on ajoute çà et là des plantes de hauteur moyenne. Quelques gra-

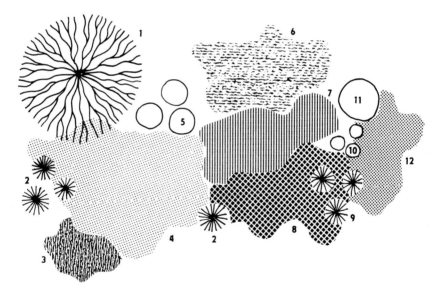

Motif printanier :
1. *Daphne mezereum* 2. *Avena sempervirens* 3. *Crocus neapolitanus* « Dutch Yellow »
4. *Erica carnea* « Winter beauty » 5. *Helleborus niger* 6. *Doronicum columnae* 7. hybrides de *Primula-Elatior* rouges 8. hybrides de *Tulipa-Fosteriana* « Princeps » 9. *Brunnera macrophylla* 10. *Primula denticulata* « Alba » 11. *Dicentra spectabilis* 12. *Crocus chrysanthus* en coloris variés.

minées ornementales, buissons nains et conifères peuvent aussi être utlisés. Il n'est pas recommandé de choisir trop d'espèces différentes dans ce genre de plantation.

L'effet obtenu au sol doit être simple et spontané, de façon à sauvegarder un **aspect naturel,** malgré l'emploi de plantes cultivées. On utilise un petit nombre d'espèces, mais bien choisies, par exemple les graminées. Parmi les bulbeuses, on choisit celles dont les caractéristiques se rapprochent des vivaces et qui restent plusieurs années dans le sol.

Ces zones aménagées très naturellement, donnent un cachet particulier au jardin actuel. On les dispose de telle sorte qu'on puisse les admirer de la maison ou du jardin, là où, assis sur un banc, on peut se réjouir de leur composition colorée. Elles font tout leur effet au milieu d'une étendue de gazon, ou devant un écran de buissons. On aménage de la même façon d'autres zones naturelles, insipirées de la steppe, de la lande ou de la prairie. Chacune a son charme particulier, et, bien aménagée, fait d'un séjour au jardin un vrai plaisir.

Le jardin de bruyère

On le garnit en ordre très libre de plantes de bruyère typiques : *Calluna vulgaris* et *Erica carnea,* de variétés et de coloris différents. L'espace peut être délimité par quelques buissons, par exemple, *Juniperus communis* « Hibernica », *Pinus mugo,*

Bruyères :
1. *Pinus mugo*   2. *Calluna vulgaris* « Alportii »   3. *Lavandula angustifolia*   4. *Erica carnea* « Rubra »   5. *Avena sempervirens*   6. *Deschampsia caespitosa*   7. *Erica carnea* « Snow Queen »   8. *Festuca glauca*   9. *Thymus serpyllum*   10. *Aster linosyris*   11. *Juniperus communis* « Hibernica »   12. *Calluna vulgaris* « J.H. Hamilton »   13. hybrides d'*Aster Dumosus* « Prof. Kippenberg »   14. *Cytisus* × *praecox.*

Cytisus x parecox, Berberis thunbergii, se faisant face. Les bruyères se disposent en groupes irréguliers, auxquels on ajoute quelques plantes rampantes : par exemple *Thymus serpyllum, Antennaria dioica, Dianthus deltoides.* Quelques groupes de graminées ornementales telles que *Avena sempervirens, Deschampsia cespitosa, Festuca scoparia* complètent agréablement l'ensemble. Un groupe de pins et de bouleaux peut être ajouté à l'arrière-plan. Une étendue de gazon à l'avant-plan met les bruyères en valeur.

On choisira pour établir ce jardin un endroit ensoleillé et un mélange de terre sableuse et de tourbe, auquel on ajoute éventuellement de la terre de bruyère. On y fera passer un chemin de pierres brutes, afin de pouvoir l'admirer de près.

Un jardin à l'aspect de steppe

On crée ce jardin de la même façon que le jardin de bruyère, mais avec d'autres espèces de plantes. Les plantes de base utilisées pour les différentes étendues sont des **plantes rampantes** telles que *Thymus serpyllum, Antennaria Dioica, Lotus corniculatus* et *Dianthus deltoides ;* on y ajoute quelques groupes de graminées ornementales basses ou mi-hautes. Parmi les graminées à petite taille, on peut choisir les espèces *Festuca* et *Koelaria glauca,* parmi les mi-hautes, *Avena sempervirens, Deschampsia cespitosa, Pennisetum alopecuroides* et *Stipa barbata.* La graminée annuelle *Hordeum jubatum,* qui se resème d'elle-même, est d'un très bel effet. Mais il faut empêcher que la plante n'atteigne un trop grand développement.

Quelques **arbustes** qui ont l'aspect des plantes de la steppe conviennent bien à ce jardin : *Iris pumila, Adonis vernalis, Pulsatilla vulgaris, P. halleri, Lavandula angustifolia, Dictamnus albus,* etc. On les plante de préférence en groupes de petite et moyenne importance. Quelques plantes à tubercules ou à oignons ne peuvent manquer à ce décor : tulipes botaniques, *Allium karavatiense, A. christophii, A. moly,* aussi quelques espèces de *Crocus, Muscari armeniacum, Scilla sibirica,* etc. Selon le genre de chacune de ces plantes, on les dispose en groupes dispersés, plus ou moins étendus. Les espèces *Eremurus,* et particulièrement *E. stenophyllus* doivent aussi faire partie de ce décor.

Toutes ces plantes préfèrent et supportent le **soleil** comme la **sécheresse,** et il faut en tenir compte en choisissant l'emplacement de ce jardin. Il est important que le sol soit perméable. Un jardin à l'aspect de steppe développe l'éclat de ses couleurs pendant tout le printemps et garde encore du charme pendant l'autre moitié de l'année.

Un coin de jardin avec des xérophytes

Les xérophytes sont des plantes qui prospèrent dans des **endroits extrêmement secs.** De ce fait, on les trouve rarement dans nos jardins d'agrément. Pourtant, elles ont aussi leur charme. Ces plantes aimant la sécheresse demandent un **terrain quelque peu aménagé :** ou bien une pente douce exposée au Sud, ou bien une surface modifiée par quelques ondulations de terrain. Dans chaque cas, un sol perméable, bien drainé est une condition indispensable. On le recouvre d'une couche de gravier ; on

Motifs de graminées :
1. *Hippophae rhamnoides* 2. *Spartina pectinata* 3. *Avena sempervirens* 4. *Festuca glauca* 5. *Festuca scoparia* 6. *Sedum telephium* 7. *Thymus serpyllum* 8. *Allium christophii* 9. *Dictamnus albus* 10. *Calamagrostis epigejos* 11. *Deschampsia cespitosa* 12. *Geranium platypetalum* 13. *Dianthus deltoides* 14. *Avena sempervirens* 15. *Miscanthus sinensis* « Gracillimus » 16. *Festuca scoparia* 17. *Pennisetum alopecuroides* 18. *Berberis thunbergii* « Atropurpurea ».

dispose çà et là un groupe de pierres isolées.

Préparé de cette façon, ce sol ne convient qu'à des plantes habituées à des conditions climatiques extrêmes. Quelques espèces croissent près des plantes des steppes.

Dans le cas de grands jardins, on peut aussi planter quelques arbustes en nombre réduit. Parmi les conifères, seuls les *Juniperus communis* de taille réduite conviennent ; parmi les feuillus, on peut planter *Caragana jubata, Hippophae rhamnoides, Perovskia atriplicifolia* et parmi les grandes plantes, les espèces *Yucca filamentosa, Eryngium gigantuem* et *Lavandula angustifolia.* On les dispose çà et là, soit seuls, soit en petits groupes. Conviennent également *Carlina acaulis, Thymus serpyllum,* toutes les espèces rustiques des *Puntia* de jardin, aussi les espèces *Euphorbia myrsinites, Antennaria dioica* et *Marrubium velutinum.* De ces plantes, on forme des groupes plutôt petits, de façon à ce qu'au moins un tiers du gravier reste découvert. Les soins à donner à ces plantes sont, comme on le pense, simples : l'arrosage est superflu la plupart du temps, l'hiver, on les recouvre de branches de sapin.

Les massifs de fleurs

Plusieurs endroits du jardin, à proximité de la maison, de l'entrée ou de bancs, conviennent particulièrement bien pour la réalisation de massifs fleuris. Ces étendues de forme régulière ou non, doivent garder **le plus longtemps possible** leurs **coloris éclatants.** Un coloris unique convient mieux aux petits parterres, tandis que pour les plus grands on mélange les couleurs ; mais cela ne doit jamais être un méli-mélo. Pour avoir un massif fleuri pendant toute la belle saison, il suffit de planter à deux reprises au cours de l'année. Pour une floraison printanière, on donnera la préférence aux bulbeuses, et notamment aux tulipes doubles courtes et à quelques tulipes botaniques courtes du groupe des hybrides de *Tulipa-Fosteriana,* hybrides de *T. Kaufmaniiana,* et hybrides de *T. Greigii.* On les plante à une distance de 12 à 15 cm, de facon à former un ensemble. Le rouge, le jaune, le blanc et le rose dominent parmi ces tulipes. Le bleu est représenté par les fleurs de *Muscari armeniacum* ou de *Scilla sibirica.* Après la floraison, on les remplace par des annuelles, ou d'autres plantes basses colorées fleurissant tout l'été. Les fleurs suivantes conviennent particulièrement bien : *Ageratum Houstonianum,* hybrides de *Pétunia, Salvia splendens, Tagetes patula* et hybrides de *Verbena.* Parmi les autres plantes, on peut choisir *Begonia x tuberhybrida* et hybrides de *Pelargonium-Zonale.*

Les vivaces basses se prêtent moins bien à la création de massifs fleuris, car elles ne peuvent concurrencer la floraison prolongée et l'éclat des annuelles. Par contre, elle conviennent bien pour réaliser des **mosaïques de fleurs :** on combine plusieurs tapis de vivaces en taches colorées irrégulières, et on obtient un effet durable si en plus des fleurs, elles ont un feuillage décoratif. Les plantes suivantes ont un feuillage particulièrement ornemental : *Achillea tomentosa, Ajuga reptans, Stachys olympica ;* parmi les graminées, notons *Festuca glauca, F. scoparia* et *Koeleria glauca.* Parmi les vivaces à feuillage persistant, signalons les espèces *Androsace sarmentosa,* hybrides de *Saxifraga-Arendsii, Thymus serpyllum* et *Viola cornuta.*

Des groupes de petites plantes bulbeuses telles que *Crocus, Muscari armeniacum, Leucojum vernum, Eranthis hyemalis* contribuent à varier l'aspect de ces tapis de vivaces.

Les plantes tenant lieu de gazon

Sur les étendues qu'on ne peut transformer en pelouses, parce qu'elles sont situées en plein soleil, ou à la pénombre, ou bien sous des arbres ou des buissons, ou encore qu'elles sont trop petites, on utilise des **vivaces rampantes.** Elles prospèrent bien, dans les endroits à exposition extrême, ne nécessitent aucun soin particulier, et se développent au point de couvrir la totalité du sol.

Pour les endroits secs et ensoleillés, les plantes suivantes conviennent : *Achillea tomentosa, Hieracium aurantiacum, Phlox subulata, Thymus serpyllum* et différentes espèces de *Sedum ;* pour les endroits ombragés et mi-ombragés : *Ajuga reptans, Lysimachia nummularia* et *Vinca minor.*

Les jardins de rocailles et murs fleuris

Pour compenser les **différences de niveau** dans un jardin, on aménage des pelouses en pente, des jardins de rocailles ou des murs fleuris. Des trois possibilités, c'est le jardin de rocailles qui s'avère être incontestablement la meilleure solution, mais il faut tenir compte des soins plus astreignants qu'il requiert. Un bon emplacement et la façon de mettre en terre les plantes sont de la plus grande importance. Quelques irrégularités de sol donneront du relief à la pente tout en lui laissant une apparence naturelle et agréable.

Plusieurs genres de **pierres** conviennent pour les rocailles ; les meilleures sont les pierres claires ayant une patine naturelle, c'est-à-dire une surface moussue ou érodée. Elles doivent être aussi grandes que possible et peser au moins 50 kg. Celles qui viennent d'être taillées ont un aspect artificiel et ne conviennent pas pour les rocailles.

Les pierres doivent émerger du sol comme des bancs rocheux, c'est pourquoi on les met en place sur la pente, isolées ou en groupes selon leur grosseur, de telle sorte que l'effet soit joli et naturel, même s'il n'y a pas de plantes. On laisse entre les pierres des espaces libres pour aménager, dans la mesure du possible, quelques petits chemins de pierres plates. Quelques marches de pierre naturelle compensent une pente trop forte.

Toutes les plantes de rocailles demandent un **sol perméable**. S'il fait défaut, il faut mélanger à la terre existante du sable et du terreau et prévoir éventuellement un bon écoulement des eaux. Pour cela, on creuse dans le sol des trous qu'on remplit de matériaux poreux (petits cailloux, gravier). On les recouvre d'une couche de terre perméable dans laquelle on place les plantes de rocailles. Si certaines espèces exigent un sol spécial, on aménage la terre avant la plantation en fonction de ces besoins.

On répartit les plantes de rocailles au mieux selon leur forme : les **plantes rampantes** et celles formant tapis se mettent entre les pierres, par exemple, *Achillea tomentosa, Alyssum montanum, Campanula cochleariifolia, Dianthus deltoides,* hybrides de *Saxifraga Arendsii, Sedum acre, Thymus serpyllum* ainsi que *Veronica prostrata.* Ce sont les taches colorées étendues d'une seule et même espèce qui font le meilleur effet. Plusieurs de ces plantes déroulent leur tapis en cascades colorées.

Les petits **buissons** et arbrisseaux tels que *Aster alpinus, Adonis vernalis, Primula denticulata, Pulsatilla vulgaris* et *Santolina chamaecyparissus* ne se plantent qu'avec parcimonie, en petits groupes ou isolés, afin que le jardin de rocailles ne soit pas surchargé et qu'il conserve l'aspect d'un tapis de fleurs.

Certaines espèces prospèrent encore mieux entre des pierres que sur un sol plat. On les plante donc de préférence au pied de celles-ci. Conviennent ici : *Campanula tridentata, Dianthus alpinus, Saxifraga longifolia,* quelques variétés de *Sempervivum* ainsi que *Orostachys spinosus.*

Les **graminées** sont un complément naturel et apprécié du jardin de rocailles. On utilise toutes les espèces basses de *Festuca, Carex* et *Koeleria caerulea* ainsi que quelques espèces mi-hautes, surtout *Avena sempervirens* et *Pennisetum alopecuroides.*

Les **plantes bulbeuses** conviennent aussi pour ce jardin. On garnit les surfaces planes de petits groupes de crocus botaniques et hybrides, de quelques espèces basses de tulipes botaniques, en particulier, *Tulipa tarda,* d'hybrides de *T. Fosteriana* et de *T. Kaufmanniana* ainsi que de petites bulbeuses telles que *Eranthis hyemalis, Scilla sibirica, Puschkinia scilloides, Chionodoxa liciliae* et *Colchicum bornmuelleri.*

Les **espèces naines** et rampantes de certains arbustes ne peuvent manquer dans ce jardin. Parmi les génévriers, on choisit *Juniperus chinensis* « Globosa Cinerea », *J. communis* « Depresa » et *J. sabina* « Tamariscifolia », parmi les pins, principalement l'espèce naine *Pinus mugo*-- et parmi les sapins *Picea abies* « Nidiformis », *Picea glauca* « Echiniformis » et *P. glauca* « Liliput ». Parmi les feuillus conviennent : *Cotoneaster horizontalis, Euonymus fortunei, Erica-carnea, Berberis thunbergii* « Kobold » et *Cytisus decumbens.*

Les **murs fleuris** offrent, en plus, la possibilité d'atténuer une pente trop marquée dans un jardin. Du mortier n'est pas nécessaire : on bouche les jointures des pierres avec de la terre et on la garnit de plantes de rocailles. Le mur est consolidé par les plantations, tout en étant égayé par les fleurs.

Il se construit par superposition de couches de pierres plates, en respectant pour chaque couche un recul de 3 à 4 cm par rapport à la couche inférieure. Cette construction augmente la solidité du mur et permet à l'eau de pluie de pénétrer plus facilement par les jointures jusqu'aux racines des plantes. Celles-ci se développent en général mieux en ces endroits qu'en pleine terre.

On peut garnir les murs fleuris de toutes les sortes de plantes qui ornent les rocailles, ou de plantes en tapis. La partie supérieure du mur se prolonge directement par la pelouse ou bien on marque une séparation avec quelques vivaces basses.

Les bassins et pièces d'eau

Les pièces d'eau forment de calmes oasis dans un jardin. Elles peuvent différer en étendue, forme et aménagement. Si l'on dispose d'une source naturelle d'eau suffisamment importante, on peut facilement créer des petits ruisseaux, lacs, chutes d'eau et marais. Si l'on dépend d'une conduite d'eau, il vaut mieux faire construire un bassin en béton ou en matière synthétique à proximité d'un coin de repos ou d'une terrasse.

Les **nénuphars** toujours très appréciés, apportent une note particulière à la décoration des pièces d'eau. Il en existe quantités d'espèces et de variétés dans les tons de blanc, rose, rouge allant jusqu'au jaune, l'orange et le rouge cuivré. Pour chaque espèce, l'eau doit avoir une profondeur distincte. La plupart des nénuphars croissent dans 40 à 50 cm d'eau. Seules les espèces naturelles ont besoin de plus de 80 cm. Les espèces naines sont une exception, elles se contentent de 15 à 20 cm d'eau. Leurs fleurs et leurs feuilles de dimension réduite conviennent bien aux petits bassins. Il faut toujours veiller à ce que les feuilles de nénuphars ne recouvrent pas toute la surface de l'eau. Dans le cas de petits bassins, un tiers de la surface doit être dégagé.

Parmi les plantes aquatiques, il n'y a pas que les nénuphars. On peut animer et embellir un étang avec **quantités d'autres plantes :** sont très décoratives les feuilles étroites à aspect de graminées des *Acorus calamus,* dont il existe aussi une espèce à feuilles diaprées, aussi *Juncus effusus, Scirpus lacustris, Scirpus tabernaemontani* ainsi que sa variété rayée de jaune, *Typha angustifolia* et les petites *Typha minima.* Ce sont non seulement les fleurs mais aussi les feuilles de nombreuses plantes qui attirent le regard : *Alisma plantago-aquatica, Butomus umbellatus, Hippuris vulgaris, Hottonia palustris, Minyanthes trifoliata, Orontium aquaticum* ainsi que *Sagittaria sagittifolia.* La plupart de ces espèces croissent avec les meilleurs résultats dans 10 à 20 cm d'eau. Etant donné que les étangs sont en général plus profonds, on doit placer les plantes dans des récipients plats que l'on dépose près des bords.

Plusieurs espèces de plantes aquatiques flottent à la surface de l'eau et ne disparaissent dans le fond qu'à la fin de la belle saison. Les plus connues sont *Stratiotes aloides, Utricularia vulgaris, Hydrocharis morsus-ranae* et *Trapa natans.*

On peut aménager un **marais artificiel** soit isolément, soit près d'un bassin. Il faut pour cela une vasque en béton de 25 à 30 cm de profondeur, dont le bord affleure à la surface du sol. On la remplit de terre, et on arrose autant qu'il le faut car la terre ne doit jamais devenir sèche. C'est là que croissent les plantes des marais, mais aussi quelques espèces aimant les sols humides. Toutes représentent une flore typique et intéressante. Les plus belles de ces fleurs sont les iris japonais, *Iris Kaempferi,* qui font plutôt penser à des orchidées. On garnit les bords d'espèces basses, par exemple *Calla palustris, Myosotis palustris* et *Primula rosea,* et les proches alentours avec

Soins à donner aux plantes aquatiques
(nénuphars et autres plantes du même genre)
dans les bassins.

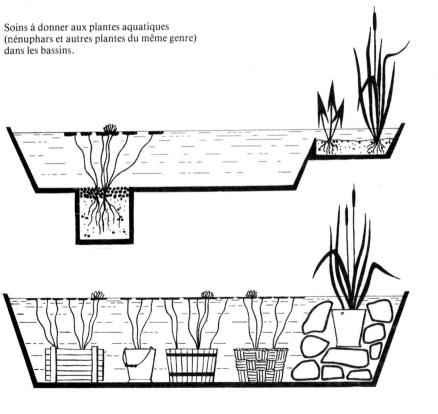

des vivaces, qui ont l'aspect extérieur caractéristique des plantes de marais, bien qu'elles poussent dans un sol sec. Conviennent très bien les hybrides de *Hemerocallis*, les hybrides de *Trollius, Bergenia cordifolia, Iris sibirica, Brunnera macrophylla, Filipendula ulmaria*, hybrides de *Kniphofia, Ligularia dentata* et hybrides de *Tradescantia-Andersoniana*.

Les endroits embragés et mi-ombragés

Dans chaque jardin, il y a des endroits ombragés et mi-ombragés. On les trouve principalement sous des arbres, au côté nord des maisons, des murs ou des haies épaisses. Par une sélection appropriée de plantes, il est aussi possible de donner vie et relief à ces endroits. A part quelques exceptions, les fleurs annuelles n'y prospèrent pas. Conviennent surtout *Ageratum houstonianum* et *Impatiens walleriana*. Le choix de plantes bulbeuses à oignons ou tubercules est très réduit aussi. Les **bulbeuses hâtives** conviennent bien pour être plantées sous des arbres à feuilles caduques, car elles poussent et fleurissent avant l'arrivée des feuilles.

Quand elles entrent dans la période de repos, après s'être fanées, l'ombre du feuillage qui a poussé entretemps ne leur est plus un inconvénient. Quelques espèces du groupe des petites plantes bulbeuses sont à recommander, par exemple, *Eranthis hyemalis, Erythronium dens-canis, Iris reticulata, Leucojum vernum, Muscari armeniacum, Scilla sibirica*. Quelques-unes d'entre elles se développent en groupes touffus même à l'ombre ou à la pénombre *(Galanthus nivalis, Eranthis hyemalis)*. On peut aussi planter ces espèces sous des buissons. Cependant elles ne poussent pas bien sous les arbres dont les racines se développent en largeur, comme c'est le cas pour le bouleau. On peut aussi disposer en compositions colorées des plantes plus importantes, telles que des tulipes, des jacinthes et des narcisses, si on les place sous des espèces feuillues à cîmes élevées.

Un choix beaucoup plus grand s'offre par contre parmi les arbustes et les vivaces. Les **conifères** suivants supportent l'ombre permanente : quelques espèces du genre *Taxus, Juniperus chinensis* « Pfitzeriana» et la plupart des espèces du genre *Chamaecyparis*. Parmi les espèces feuillues qui préfèrent une exposition mi-ombragée à ombragée, *Loni cera xylosteum, Symphoricarpos albus*, les rhododendrons du groupe hybrides de *Mollis* et hybrides de *Genter (Azalea pontica)* sont à recommander. Le *cotoneaster salicifolius, Pyracantha coccinea* et la plupart des espèces et variétés du genre *rhododendron* demandent une exposition mi-ombragée.

Ce sont les **rhododendrons** qui développent au début du printemps une floraison brillante. Ils ont besoin de beaucoup d'humidité et d'un sol bien préparé. On retrouve les mêmes exigences chez quelques vivaces qu'on peut très bien ajouter à des groupes de rhododendrons : hybrides d'*Astilbe-Arendsii, Cypripedium calceolus, Aruncus dioicus, Trillium sessile* et toujours les espèces du genre *Rodgersia*.

La plupart des **fougères** aussi croissent volontiers dans les endroits mi-ombragés et ombragés et complètent avec avantage les groupes floraux par leurs feuilles en éventail et leur forme différente.

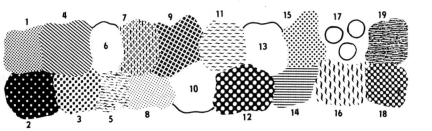

Bordure de fleurs à couper (plantes annuelles, vivaces et bulbeuses) :
1. hybrides de *Chrysanthemum-Indicum* 2. *Narcissus* 3. *Heliopsis helianthoides* 4. *Callistephus chinensis* 5. *Tagetes erecta* 6. *Doronicum plantagineum* 7. *Campanula persicifolia* 8. *Venidium fastuosum* 9. *Chrysanthemum maximum* 10. *Zinnia elegans* 11. *Liatris spicata* 12. *Matthiola incana* 13. *Scabiosa caucasica* 14. *Cosmos bippinatus* 15. *Chrysanthemum coccineum* 16. *Calendula officinalis* 17. hybrides de *Paeonia-Lactiflora* 18. *Tulipa* (Darwin et à fleur de lis) 19. *Gypsophila paniculata*

Les parterres de fleurs à couper

Les fleurs font partie du cadre de notre vie, et leur présence est indispensable dans les pièces d'habitation et de travail. Il va de soi qu'il est préférable de pouvoir aller les cueillir dans son propre jardin. Pour ne pas dégarnir les plates-bandes et les beaux massifs, on réserve certains parterres à la culture de fleurs à couper. On les place à un **endroit un peu retiré,** là où la vue de coins dégarnis ne choquera pas.

Beaucoup de fleurs conviennent à la décoration des vases, non seulement parce qu'elles sont belles, mais aussi parce qu'elles durent longtemps. Comment s'y prendre pour **garder des fleurs fraîches** dans un vase ? Cela dépend entre autres du stade de la floraison, du moment où elles ont été coupées (il ne faut couper les composées que lorsqu'elles sont en fleurs) ; il est aussi important de savoir à quel endroit de la maison elles seront placées (un degré élevé d'humidité permet de garder les fleurs plus longtemps fraîches, mais des températures trop hautes les font se faner rapidement). On peut trouver chez les fleuristes des produits chimiques à ajouter à l'eau du vase, et qui prolongent la vie des fleurs. Mais le plus simple consiste à planter un assortiment adéquat de fleurs à couper afin de pouvoir disposer du printemps à l'automne d'une quantité abondante de toutes les espèces.

Les terrasses, pergolas et balcons

• **Les terrasses** sont des surfaces recouvertes de pierres plates. Elles sont souvent le prolongement des pièces d'habitation avec lesquelles elles communiquent. En général, quelques marches les séparent du jardin. La façon de délimiter une terrasse dépend de sa hauteur par rapport à ce qui l'entoure. Les terrasses hautes sont le plus souvent entourées d'un mur, les plus basses, qui ne dépassent pas 60 à 70 cm de hauteur sont soutenues par un mur fleuri ou une pente garnie de rocailles.

Une **pièce d'eau** située en contrebas de la terrasse, au niveau du jardin est du plus joli effet. Mais on peut disposer des petits bassins sur la terrasse même, leur grandeur dépendant de l'étendue de celle-ci. On les place plutôt sur le côté, afin de garder suffisamment d'espace libre pour circuler. Ils peuvent être disposés de façon régulière ou irrégulière, mais leur forme doit rester en harmonie avec le dessin de la terrasse. On anime ces bassins en y ajoutant des plantes aquatiques.

On peut encore décorer les terrasses d'une autre façon charmante : au moyen de **poches de terre.** Lorsqu'on place le recouvrement de sol en pierres plates, on laisse certaines parties à découvert, le plus souvent sur les côtés ou le long du mur de la

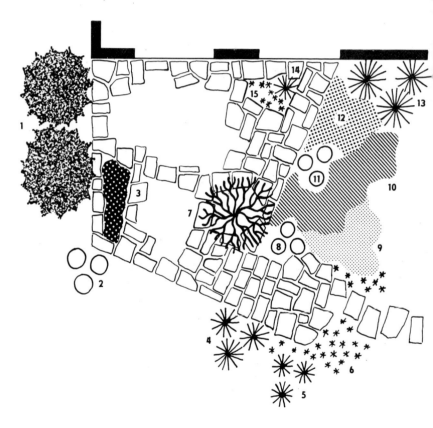

Plantations sur la terrasse :
1. *Juniperus virginiana* « Tripartita » 2. *Helianthus salicifolius* 3. hybrides de *Tulipa-Fosteriana* « Princeps », alternant avec des hybrides de *Petunia* 4. *Spartina pectinata* 5. *Avena sempervirens* 6. *Thymus serpyllum* 7. *Cotoneaster praecox* 8. *Sedum telephium* 9. *Veronica prostrata* 10. *Phlox subulata* « Rosea » 11. *Lavandula angustifolia* 12. *Doronicum columnae* 13. *Miscanthus sinensis* « Giganteus » 14. *Avena sempervirens* 15. *Thymus serpyllum* et *Festuca glauca*.

maison. On les garnit de terre, puis de plantes. Si le soubassement est en remblai, les plantes poussent comme en pleine terre et se développent bien. Si ce n'est pas le cas, les poches de terre doivent avoir au moins 40 cm de profondeur et être régulièrement arrosées. On les garnit surtout de pins ou de génévriers nains, mais aussi d'espèces feuillues du genre *Cotoneaster,* de *Potentilla fruticosa,* et autres du même genre. Les graminées telles que *Avena sempervirens, Pennisetum alopecuroides* y trouvent bien leur placé ainsi que les espèces un peu plus hautes, telles que *Spartina pectinata* et différentes sortes de *Miscanthus chinensis.* Si les poches sont suffisamment grandes, on peut y grouper différentes plantes, par exemple des pins nains avec des graminées *(Avena sempervirens, Festuca glauca* ou *F. scoparia),* avec éventuellement encore une vivace rampante *(Thymus serpyllum, Phlox subulata* et *Iberis sempervirens).* Mais déjà rien qu'avec des plantes fleuries les poches de terre sont d'un effet charmant, tout spécialement au printemps, avec des tulipes courtes, qui doivent de toute façon être remplacées en été par d'autres espèces, telles que hybrides de *Pétunia,* hybrides de *Pelargonium-Zonale, Salvia splendens* et *Tagetes patula.*

Si l'on ne prévoit pas de poches de terre sur la terrasse, on peut aussi placer des vasques en céramique ou autre matériau, de différentes formes et grandeurs. On les garnit de plantes qui se contentent d'un espace réduit. Ce sont principalement des plantes annuelles, mais aussi quelques feuillus, graminées et vivaces déjà mentionnés à propos des poches de terre. Le meilleur choix sera *Pinus mugo, Cotoneaster praecox, Cytisus decumbens, Avena sempervirens* et les espèces du genre *Festuca.*

● On décore **les balcons** de jardinières garnies de plantes annuelles. A la liste des espèces convenant pour les poches de terre et les vasques, on peut ajouter encore des espèces à tiges retombantes, en particulier les hybrides de *Pelargonium-Peltatum,* les hybrides de *Pétunia* et celles de *Tropaeolum, Begonia x Tuberhybrida* « Pendula » (si l'endroit est moins exposé au soleil).

● **Une pergola** est un élément de transition entre les différentes parties du jardin, ou sert de fond à un endroit plus précis. Elle est le plus souvent composée de montants de bois naturel traité ou recouvert d'une couche de peinture protectrice. La pergola apporte une ombre bienvenue au coin de repos. Dans ce cas, il s'agit de poutres de bois dressées au-dessus de sièges de jardin.

En général, on laisse pousser le long des montants des **plantes grimpantes ou tapissantes** qui créent un mur de verdure parfois fleuri, tout en procurant de l'ombre au sommet.

Plantes grimpantes à conseiller : rosiers grimpants, hybrides de *Clematis, Wisteria sinensis, Aristolochia macrophylla, Lonicera x tellmanniana, Polygonum aubertii.* Parmi les vivaces grimpantes : *Lathyrus odoratus* et *Phaseolus coccineus.*

Haies croissant librement et haies taillées

On sépare le plus souvent chaque partie du jardin par des haies d'arbustes croissant librement ou par des haies taillées. Elles servent aussi d'encadrement à un endroit déterminé.

Ces écrans de verdure peuvent être formés d'arbustes à feuillage caduque ou persistant. Pour les **haies régulièrement taillées,** conviennent au mieux parmi les conifères *Thuja occidentalis,* qui pousse rapidement, puis *Taxus haccata,* qui croît plus lentement, ainsi que quelques espèces à haut développement du genre *Chamae cyparis.* Parmi les espèces feuillues, *Acer campestre, Carpinus hetulus, Crataegus monogyna, Ligustrum vulgare, L. ovalifolium* et *Ribes alpinum* se développent en murs épais.

On crée les **haies à croissance libre** et les écrans verts au moyen de *Deutzia x magnifica, Forsythia x intermedia, Lonicera caerulea,* d'hybrides de *Syringa vulgaris* et d'hybrides de *Weigela.* Ces arbustes ont encore l'avantage de porter au printemps des fleurs de coloris très doux.

Plantation de haies avec isolation des racines et schéma de taille.

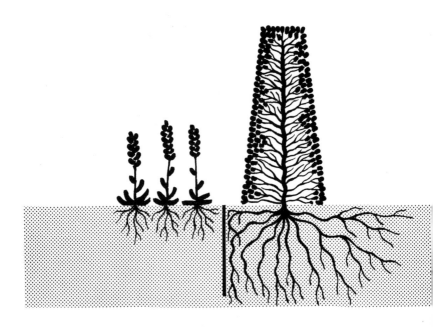

La culture des plantes d'ornement

Les plantes annuelles

Les plantes annuelles et les bisannuelles préfèrent en général les endroits ensoleillés et chauds. Elles se développent le mieux dans une **bonne terre** de jardin perméable, suffisamment humide et riche en éléments nutritifs. Un excès d'humidité ne leur convient pas. Un engrais trop actif favorise un développement excessif de la plante au détriment de la formation de boutons floraux. Avant de mettre les plantes en terre, il faut bien ameublir le sol, l'égaliser et l'humidifier en profondeur, s'il est trop sec. L'**époque de la plantation** dépend de l'espèce des fleurs et de la situation géographique du jardin. Les plantes rustiques se plantent en général déjà en avril, les non rustiques seulement à partir de la mi-mai, après les Saints de glace. On place les plantes dans le sol à une distance de 25 à 30 cm ou plus, en tenant compte du développement qu'elles auront. L'introduction récente sur le marché de plantes fournies avec une motte de terre entourant les racines, a beaucoup d'avantages. On peut ainsi mettre en place des plantes déjà presque en fleurs, qui poussent vite et bien.

On mesure la plate-bande préalablement préparée et on y creuse des trous à bonne distance les uns des autres. On y dépose les plantes en tassant bien le sol et on arrose abondamment. Dès que les plantes ont pris racine, il faut leur donner beaucoup d'eau. Plus tard on ne les arrose que si le temps sec se prolonge. Plusieurs espèces à racine pivotante ou racine peu ramifiée supportent mal la transplantation. C'est pourquoi on les sème directement dans la plate-bande, soit en ligne soit par petits tas dispersés. La plupart se sèment déjà en mars et avril ; pour d'autres le semis d'automne est plus favorable.

Les **soins à donner** pendant l'année aux annuelles se limitent à arroser selon les besoins, à ameublir le sol et à sarcler. Toutes les deux à trois semaines, les plantes sont arrosées d'un engrais complet qu'il vaut mieux dissoudre dans l'eau.

Les bisannuelles sont mises en terre à la fin de l'été ou en automne. En hiver, surtout dans les régions à climat plus vif, où le gel nocturne apparaît rapidement, on les recouvre de branchettes de sapin. Toutes les plantes annuelles et bisannuelles **se reproduisent par semis.** Certaines espèces sont semées directement en place, d'autres doivent l'être en pépinière. Pour cette dernière méthode, on se sert de châssis placés sur couche froide ou tiède. La plupart des graines se sèment en mars, mais les non rustiques, qui se développent rapidement, en avril seulement. Les graines à germination lente se sèment déjà en février dans des caissettes, qui sont placées en serre ou sous un toit de plastique. C'est le cas de *Ageratum houstonianum,* des hybrides de *Begonia-Semperflorens, Lobelia erinus, hybrides de Petunia* et *Portulaca grandiflora.*

On laisse germer la graine. Quand les petits plants sont suffisamment développés, on les repique sur couche à 5 cm de distance. Il se développent sous des châssis vitrés, que l'on peut aérer par temps chaud et ensoleillé, ou bien protéger du soleil. Huit jours avant le repiquage définitif en pleine terre, on enlève les châssis pour « durcir » les plants. Il faut arroser avant la transplantation.

Les plantes vivaces

Les vivaces, par contre, exigent en bien des cas, des soins plus individuels que les annuelles. Elles requièrent souvent une exposition très différente selon leur origine et il faut en tenir compte en les plantant. Il y a cependant parmi elles plusieurs espèces qui s'acclimatent bien chez nous, tout en étant habituées à d'autres conditions. La plupart des vivaces se développent dans une bonne terre, modérément perméable et suffisamment humide. Les plantes de rocailles, les graminées et les fougères nécessitent un sol spécialement préparé. Quelques espèces telles que les hybrides de *Astilbe-Arendsii,* les hybrides d'*Anemone-Japonica* et d'autres encore, ont besoin d'un sol acide et humeux. Si la terre du jardin ne remplit pas ces conditions, il faut la remplacer sur une profondeur d'au moins 30 cm.

Avant de planter les vivaces, il faut aérer le sol sur 30 cm de profondeur et le sarcler avec soin. Les racines de mauvaises herbes persistantes sont dangereuses pour les vivaces ; celles de l'année s'exterminent par bêchage. On mélange alors au sol de l'engrais naturel. Les sols lourds s'améliorent par adjonction de sable et de tourbe. Un engrais chimique ne s'emploie que lorsque les plantes ont bien repris.

La meilleure époque pour **mettre en terre** les vivaces est le printemps (d'avril au début de mai) ou l'automne (de la fin d'août à la fin de septembre). Plantées après l'été, elles peuvent encore se développer avant l'hiver. On recouvre les vivaces plantées tardivement de branches de sapin. Les plantes pourraient être abîmées par les premiers gels s'ils surviennent tôt. Les vivaces fournies en pot avec une motte de terre peuvent être plantées toute l'année.

On dépose chaque plante dans un trou de grandeur appropriée, creusé au moyen d'une houe, d'une bêche ou d'un plantoir, on tasse bien la terre tout autour des racines et on arrose abondamment. On arrose plus souvent pendant la période qui suit immédiatement la transplantation ; par après, on ne le fait que si c'est nécessaire. De temps en temps, on retourne la terre pour exterminer les mauvaises herbes naissantes et laisser mieux pénétrer l'humidité. Les vivaces nécessitent peu de soins au cours des années suivantes : on bêche la terre au printemps pour supprimer les mauvaises herbes. L'arrosage n'a lieu que par chaleur persistante en période de sécheresse. On coupe les tiges florales dès qu'elles sont fanées, pour que les graines ne se ressèment pas spontanément. Cela permet à certaines espèces d'avoir une seconde floraison (par exemple, les hybrides de *Lupinus-Polyphyllus* et les hybrides de *Delphinium).* En automne, on raccourcit les tiges jusqu'au niveau du sol, on ameublit la terre et on couvre de branches de sapin, là où c'est nécessaire.

La **reproduction** des vivaces se fait par semis, marcottage, bouturage, division des souches et autres procédés analogues. La plupart des espèces non améliorées se multiplient par semis ; c'est le cas également de quelques espèces de vivaces améliorées, pour autant que l'on dispose de graines appropriées (par exemple, *Primula vulgaris, P. elatior,* hybrides de *Lupinus-Polyphyllus,* hybrides d'*Aquilegia* et *Gaillarda aristata.* Les soins que requièrent les semis puis les jeunes plants sont les mêmes que pour les annuelles. On sème en général en mars et en avril. Les graines de quelques espèces comme les hybrides de *Trollius* et toutes les espèces du genre *Eryngium* doivent passer l'hiver dans le sol pour pouvoir germer le printemps prochain. On les sème donc déjà en automne. Les graines d'autres espèces germent le mieux si on les sème dès qu'elles sont parvenues à maturité *(Helleborus niger, Dictamnus albus).* On reproduit par propagation végétative (bouturage, marcottage, division des touffes, etc.) toutes les espèces qui possèdent une grande quantité de sous-espèces, afin d'en conserver les caractères permanents. Le plus simple est de diviser les touffes (cela ne nécessite pas d'installation spéciale). On obtient un plus grand nombre de jeunes plantes à partir d'une plante mère en pratiquant des boutures. Pour ce procédé une serre ou une couche sont nécessaires. On coupe les boutures à la partie supérieure des rameaux et on les place dans du sable pur, éventuellement avec addition de tourbe. Il faut les garder sous châssis jusqu'à enracinement, les protéger du soleil au début et arroser fréquemment. Quand les racines se sont formées, on aère de plus en plus souvent jusqu'à ouverture complète des châssis. Les autres procédés de reproduction des vivaces ne se pratiquent que chez les pépiniéristes. C'est le cas du bouturage par racines que requièrent *Papaver orientale, Anemone hupehensis, Brunnera macrophylla, Primula denticulata, Phlox paniculata.* Le greffage est pratiqué pour les sous-espèces doubles de *Gypsophila paniculata.*

Les plantes de rocailles

Les plantes de rocailles demandent avant tout un **sol** léger et perméable. Elles ne supportent pas un excès d'humidité. Si le sol est perméable, il faut éventuellement prévoir un bon drainage. La plupart des espèces se développent dans un sol normal de jardin, auquel on ajoute un peu de sable et de tourbe. Pour les espèces appréciant une terre calcaire, on en ajoute encore ; pour les autres, on prépare un sol·spécial. Elles se développent le mieux dans un mélange de terreau de feuilles bien décomposé, de sable et de terre de jardin.

Les plantes de rocailles **sont mises en place** au printemps, en avril, pour qu'elles se développent avant l'hiver. Les plantes livrées avec une motte de terre se plantent encore en mai et juin. En automne, cela présente des risques.

Comme toutes les autres plantes, il faut les **arroser** abondamment après la plantation, ensuite seulement selon leurs besoins. On recommande l'arrosage par pulvérisation. Il faut aussi enlever régulièrement les mauvaises herbes, et l'hiver, en cas de gelée, couvrir de branches de sapin.

Les graminées ornementales vivaces

Il faut tenir compte des différentes exigences des graminées vivaces concernant la nature du terrain. Les espèces sans exigence particulière préfèrent un sol pauvre et perméable. C'est le cas de *Avena sempervirens,* de certaines espèces du genre *Festuca, Pennisetum alopecuroides, Deschampsia cespitosa* et *Calamagrostis epigejos.* Les espèces plus exigeantes demandent un sol profond, perméable et riche en matières nutritives, qu'il faudra éventuellement préparer spécialement pour ces plantes.

C'est le cas des espèces du genre *Miscanthus, Cortaderia selloana* et *Spartina pectinata*. Au printemps, il leur faut beaucoup d'humidité et de matières nutritives, en automne, plutôt de la sécheresse. Elles ne supportent pas un excès d'eau surtout en hiver. On les plante en général au printemps. Quelques-unes seulement peuvent être transplantées en automne, par exemple, *Avena sempervirens, Deschampsia cespitosa* et quelques espèces du genre *Festuca*. La manière de planter et de donner des soins est la même que pour les autres vivaces.

Les plantes aquatiques et de marais

Les plantes aquatiques et de marais forment un groupe à part parmi les vivaces. Elles demandent un sol lourd, sans calcaire, qu'on améliore avec de la poudre de corne. On les multiplie par division des touffes et on les plante au printemps d'avril à mai. Les plus connues sont les nénuphars. Autrefois on les plaçait dans des paniers en fil de fer ou autres récipients, et on les retirait de l'eau en automne pour leur faire passer l'hiver en cave. On les replantait au printemps suivant et on les immergeait à nouveau. Actuellement, on dépose les paniers dans le fond des étangs ou des bassins, dans des trous de 30 cm de diamètre et 40 cm de profondeur, et ils y restent tout l'hiver. Une fois l'eau retirée, on recouvre le fond avec une couche de branchages épaisse d'au moins 50 cm. Il n'est pas nécessaire d'enlever l'eau des plus grands bassins, surtout si les parois sont suffisamment inclinées.

Les fougères

Les fougères ont des exigences culturales spéciales. La plupart des espèces demandent une exposition à l'ombre ou à la mi-ombre, et un sol humeux non calcaire avec une humidité suffisante. On doit le plus souvent préparer le sol pour pouvoir les planter dans un mélange de tourbe et de terreau de feuilles. On les plante exclusivement au printemps, quand elles commencent à croître. On les multiplie par division des touffes, et quelques espèces par division des tubercules (*Matteuccia struthiopteris*). On peut aussi semer les spores des fougères.

Les plantes bulbeuses (à oignons ou tubercules)

Les plantes bulbeuses préfèrent avant tout un bon sol perméable, que l'on ameublit, et que l'on améliore par du compost. La plupart des espèces se plantent en automne, septembre étant le meilleur mois. On arrose aussitôt après abondamment pour que les oignons prennent rapidement racine. On plante au printemps les **espèces non rustiques,** par exemple *Dahlia, Gladiolus, Tigridia pavonia, Acidanthera bicolor* et *Begonia x tuberhybrida* ainsi que *Canna indica*. On plante les tubercules non encore développés de bégonias à la mi-avril et on les place sur les bords de fenêtres ou en serre. Dès qu'ils commencent à pousser, on les plante en pleine terre. On les soigne et on les arrose comme les autres plantes. Les tubercules des espèces non rustiques sont retirés du sol dès l'automne, de la fin de septembre à la mi-octobre, pour passer l'hiver dans un endroit abrité, et on les plante à nouveau au printemps prochain.

Les **espèces rustiques** restent en place de nombreuses années comme les vivaces. Seules les tulipes (à part quelques espèces botaniques) doivent être retirées du sol après la période de repos. On garde les oignons pendant l'été dans un endroit sec et aéré et on les plante à nouveau en automne. Si elles restent plusieurs années en terre sans jamais être retirées du sol, il se forme des bulbilles à côté de l'oignon, la fleur devient plus petite d'année en année et cesse de fleurir après deux ou trois ans.

La manière de **reproduire** ces plantes varie selon leur espèce. La plupart des oignons à fleurs et des tubercules émettent des bulbilles ou bourgeons qui donnent plus tard de nouvelles plantes. D'autres espèces se reproduisent par graines, par exemple toutes les espèces du genre *Allium, Scilla, Chinodoxa, Puschkinia, Anemone, Eranthis, Eremurus, Leucojum, Galanthus* et *Tigridia*. Il faut attendre deux ou trois ans après le semis pour obtenir des fleurs. Les espèces rustiques se sèment en automne.

Les feuillus

Les feuillus poussent bien dans presque tous les sols. Seules quelques espèces ont des exigences culturales particulières : *Acer palmatum, Magnolia* x *soulangiana, M. stellata* et diverses espèces du genre *Rhododendron*. Ils demandent un sol humeux,

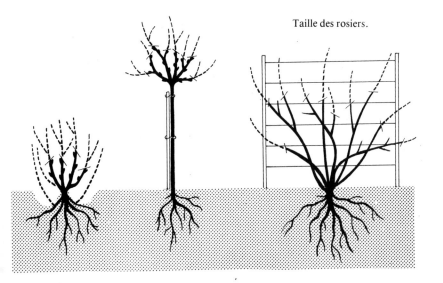

Taille des rosiers.

non alcalin et une humidité suffisante. Les espèces *Erica carnea* et *Calluna vulgaris* ont besoin d'un sol perméable auquel on ajoute du sable et du terreau ; *Calluna vulgaris,* en plus, ne peut être planté en sol alcalin. L'addition de bons composts et de tourbe au moment de la plantation améliore le rendement.

Seules les espèces à feuillage persistant sont livrées par les pépiniéristes avec une motte de terre entourant les racines. Pour celles qui sont **livrées sans motte,** il faut avant la plantation procéder de la façon suivante : couper l'extrémité des racines avec une lame bien effilée, raccourcir les branches d'un tiers ou de la moitié de leur longueur ; préparer un trou un peu plus grand que la motte de terre, en tapisser le fond de bonne terre aérée et y placer l'arbuste en remplissant tout autour de terre bien tassée. On aplanit le sol et on arrose abondamment.

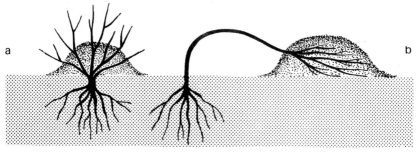

Protection des rosiers pendant l'hiver :
a) rosiers buissons ; b) rosiers tiges ; c) rosiers grimpants.

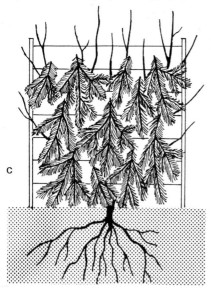

Protection des rhododendrons pendant l'hiver.

On plante au printemps, la meilleure période étant de mars à avril, avant que l'arbuste ne commence à bourgeonner ou bien alors en automne, d'octobre à novembre. Au cours des deux ou trois années qui suivent la plantation, il faut **tailler** les arbustes pour qu'ils se ramifient bien et forment d'épais buissons. Le même procédé est à employer pour le sommet des arbres : au printemps, et pendant quelques années, on coupe les branches au tiers de leur longueur.

Les **rosiers,** surtout les espèces à grandes fleurs et celles à fleurs en bouquets, ont besoin d'être taillé chaque année. En automne, on réduit de moitié la longueur des branches et on butte les plantes en vue de les protéger des gelées. Au printemps, on retire le monticule de terre avant que les rosiers ne commencent à se développer et on coupe les branches pour ne laisser que deux ou trois yeux. Pour les rosiers grimpants, on raccourcit les branches secondaires d'un tiers à une moitié. Les rosiers arbustes se taillent comme les autres arbustes d'ornement.

Les **haies vives** se taillent à époque régulière, surtout les premières années, pour les faire épaissir à la base. On les laisse ensuite pousser à la hauteur désirée, puis on les taille à l'aide de cisailles à main ou de cisailles électriques. La première taille se fait juste avant les nouvelles pousses, la deuxième juste après, quand ces dernières ne sont pas encore trop dures. De nouvelles pousses se développeront encore au cours de l'été et épaissiront la haie.

Certains feuillus **se multiplient** par graines, mais tous se reproduisent par boutures ou greffes.

Les conifères

Ils sont vendus dans le commerce avec une motte de terre entourant les racines et sont plantés de la même façon que les feuillus. L'addition de tourbe favorise le déve-

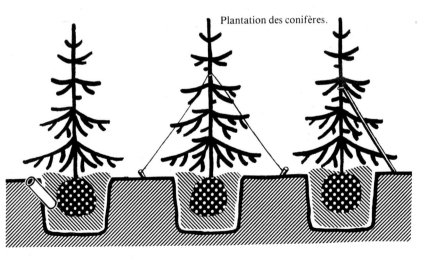

Plantation des conifères.

loppement des racines. Les époques de plantation qui conviennent sont le printemps, de mars à avril et l'automne, de la fin août à novembre. Il est important d'arroser abondamment après la plantation et de le répéter souvent. Dans l'ensemble, les conifères **demandent peu de soins.** En général, ils ne doivent pas être taillés. On peut donner une meilleure forme à quelques espèces en buissons, par exemple *Taxus baccata,* et à quelques espèces du genre *Juniperus,* en taillant au printemps les longues branches non ramifiées.

Tous les arbres à feuillage persistant ont besoin avant l'hiver d'humidité en suffisance. On les arrose encore bien avant les premières gelées.

La reproduction des conifères est difficile à réussir ; c'est pourquoi elle est pratiquée uniquement par les pépiniéristes. Les conifères se multiplient par graines, par boutures ou par greffes. Celles-ci se développent lentement et ont déjà entre trois et cinq ans quand on les trouve dans le commerce.

Un choix de plantes

Les problèmes très diversifiés que pose l'aménagement d'un jardin viennent d'être passés en revue. Des solutions utiles ont été trouvées et des exemples fournis, afin de faciliter un choix judicieux parmi les plantes. La technique des travaux de base a été à dessein laissée de côté - elle est décrite dans quantités de manuels - et l'accent a été mis sur l'art de juxtaposer harmonieusement les plantes et de bien dessiner un jardin.

Les illustrations donnent un aperçu d'un certain nombre d'espèces, sous-espèces et variétés cultivées avec un plaisir tout particulier. Ce n'est qu'un choix restreint parmi les offres nombreuses des catalogues de plantes.

Certaines variétés sont parfois retirées du commerce si elles ne correspondent plus au goût des amateurs, c'est pourquoi il arrive qu'elles soient remplacées par d'autres, très apparentées, de la même espèce. Les principes de base concernant la culture, la reproduction et l'utilisation de toutes les espèces décrites dans ce livre sont valables également pour les espèces et variétés qui leur sont apparentées. Les directives concernant l'emploi de produits chimiques, de machines, d'outils et de matériel de jardinage sont en général fournies par les magasins spécialisés.

Descriptions
et planches en couleurs

Pour chaque espèce de plante, on trouvera **en dessous de son nom :**

- la famille
- la hauteur
- l'époque de floraison
- l'emplacement recommandé

  ○ soleil
  ◑ mi-ombre
  ● ombre

- les besoins en eau

  □ faibles, ne doit être arrosée que par sécheresse prolongée
  ◪ moyens, doit être arrosée de temps en temps
  ■ grands, doit être régulièrement arrosée.

Les **illustrations** correspondent à l'ordre logique des descriptions selon le schéma suivant :

$$\begin{array}{c|c} 1 & 2 \\ \hline 3 & 4 \end{array}$$

En règle générale, l'illustration représente l'**espèce** décrite. Lorsqu'une **variété** est illustrée, le nom de celle-ci est suivi, dans le texte, du chiffre correspondant à l'illustration.

Les plantes annuelles

Ageratum houstonianum (A. mexicanum)   **agératum du Mexique**

composées   10-50 cm   mai-octobre   ○ ☑

Origine : Mexique. **Description :** tige ramifiée, feuilles duveteuses, cordées, sciées. Fleurs en bouquets de petits capitules bleu-violet. Aussi rose ou blanc. **Exigences :** sol humeux. **Soins** planter en pleine terre la deuxième moitié de mai. **Reproduction :** par semis en caissettes en février. Par une température de 12 à 15° C, les semences germent en huit à dix jours. On repi que rapidement et on étête pour élargir les plantes en buissons. Aussi possible par bouturage **Utilisation :** bordures, tapis de fleurs, jardinières ou vasques. Aussi fleur à couper. **Variétés** *A lagon,* bleu violet, et autres.

Althaea rosea   **hibiscus**

malvacées   150-200 cm   juillet-septembre   ○ ☑

Origine : l'Orient. **Description :** tige haute à feuilles cordées, veloutées, portant de nombreu ses fleurs en grappes, simples ou doubles. **Exigences :** terre profonde, riche en matières nutri tives. Endroit ensoleillé et abrité. **Soins :** planter au printemps ou seulement en août. **Repro duction :** par semis en mai, directement en place. **Utilisation :** ornement des clôtures, de murs ou devant des arbustes, décoration de coins quelconques. **Variétés :** blanche, jaune écarlate, carmin, rose.

Amaranthus caudatus   **amarante queue-de-renard**

amarantacées   40-80 cm   juillet-octobre   ○ ☑

Origine : Afrique tropicale et Asie. **Description :** tige rougeâtre à feuilles allongées, ovoïdes Les petites fleurs forment de longs chatons pendants. **Exigences :** sol léger, riche, soleil et cha leur en suffisance. **Soins :** bien arroser pendant la croissance. **Reproduction :** par semis en place, début mai. **Utilisation :** en groupes, petits ou grands. En vase, les fleurs tiennent hui jours. **Variétés :** *atropurpureus,* rouge pourpre.

Antirrhinum majus   **muflier gueule-de-loup**

scrofulariacées   15-100 cm   juin-septembre   ○ ☑

Origine : Sud de l'Europe. **Description :** plante très ramifiée à feuilles allongées, lancéolées Fleurs en longues grappes, en forme de mufle. **Exigences :** sol humeux, perméable. Dans u endroit abrité, la plante peut parfois survivre l'hiver et refleurir l'année suivant. **Soins :** plan tation en avril des pieds cultivés en caissettes. **Reproduction :** repiquer rapidement et étêter le plantes pour les ramifier. **Utilisation :** massifs fleuris. Espèces courtes pour jardinières et vas ques. Les fleurs coupés tiennent six à dix jours dans l'eau. **Variétés :** groupe *grandiflorum,* grosses fleurs, 60 à 100 cm de haut, comme fleurs à couper ; *nanum,* 40 à 60 cm, pour massi et fleurs à couper ; *pumilum,* seulement 15 à 25 cm de haut, très ramifiée. Teinte unicolore o bigarrée.

Begonia semperflorens hybrida bégonia

bégoniacées 15-35 cm mai-septembre ○ ◢

Origine : Brésil. **Description** : plante touffue, feuilles vert clair à brun foncé. Trés nombreuses petites fleurs de coloris blanc, rose, rouge, carmin, ou écarlate. **Exigences** : sol riche, un peu acide. **Soins** : on plante en pleine terre seulement après les dernières gelées printanières. **Reproduction** : par semis en caissettes en janvier et février. Repiquer rapidement 2 × 2 cm de distance, une deuxième fois en avril sur couche. **Utilisation** : tapis de fleurs, bordures, jardinières et vasques. **Variétés** : « Carmen », rose avec feuilles bronze ; « Madrid », rouge écarlate avec feuilles bronze ; « Diamant blanc », blanc pur avec feuilles vert foncé.

Bellis perennis pâquerette

composées 12-15 cm avril-juin ○ ◑ ◢

Origine : Europe, Amérique, Australie. **Description** : au niveau du sol, sort un bouquet de feuilles allongées. Fleurs solitaires, blanches, roses, et rouges. **Exigences** : tout sol de jardin normal. **Soins** : planter en septembre en parterres, couvrir de branches de sapin avant les premières gelées automnales. **Reproduction** : par division des souches après la floraison. Aussi par semis sur couche en juillet ou immédiatement en place. **Utilisation** : pour parterres printaniers avec des bulbeuses, comme bordures, sur des pierres tombales, en jardinières et vasques. aussi fleurs à couper. **Variétés** : les espèces du groupe *monstrosa* (2) ont leurs pétales en forme de languettes, celles du groupe *fistulosa* ont une forme enroulée.

Brachycome iberidifolia brachycome

composées 25-30 cm juillet-septembre ○ ◢

Origine : Australie. **Description** : tige ramifiée à feuilles étroites. Corolles de 2,5 cm de diamètre à parfum agréable. **Exigences** : sol riche, perméable. **Soins** : on plante en pleine terre seulement la deuxième quinzaine de mai. **Reproduction** : par semis sur couche en mars ou immédiatement en terre fin avril. Ensuite repiquer ou éclaircir. **Utilisation** : pour massifs colorés, à planter dans les rocailles, après les bulbeuses ou pour pots et vasques. **Variétés** principalement en mélange de fleurs bleu violet, rose et blanc.

Calendula officinalis souc

composées 30-60 cm juin-octobre ○ ◑ ◢

Origine : région méditerranéenne. **Description** : plante ramifiée à longues feuilles lancéolées Fleurs simples ou doubles. **Exigences** : terre normale de jardin. **Soins** : après la floraison, on coupe la tige à 15 cm au-dessus du sol et la plante refleurit l'année suivante. **Reproduction** par semis en place, début avril ou déjà en automne. **Utilisation** : pour massifs floraux colorés Coupées, les fleurs restent fraîches de cinq à huit jours. **Variétés** : pures ou mélangés : « Ana goor », orange à cœur brun ; « Ball's Lemon », jaune citron à centre noir.

Callistephus chinensis   **reine-marguerite**

composées   15-100 cm   juillet-octobre   ○ ◪

Origine : Chine. **Description :** tige droite, duveteuse et ramifiée. Feuilles allongées, ovoïdes Fleurs de formes et coloris différents. **Exigences :** sol argileux et sablonneux, avec suffisam ment de matières nutritives et de calcaire. Plante sujette à différentes maladies (par champi gnons parasites) ; c'est pourquoi il faut changer chaque année l'emplacement. **Soins :** mise er terre en mai à 30 × 30 cm de distance, des plans cultivés en caissettes. **Reproduction :** er général en mars par semis sur couche. Peut être aussi semée en place, puis éclaircir pour être à distance de 15-20 cm. **Utilisation :** pour parterres fleuris. Espèces courtes pour jardinières vasques et potées ; hautes, pour fleurs à couper. Restes fraîches en vase de huit à quinze jours **Variétés :** le goût manifesté pour les reines-marguerites incite les producteurs à créer toujour de nouvelles variétés, si bien qu'il est nécessaire de les grouper selon propriétés et caractéristi ques.

• Groupe « Reine-marguerite naine » : corolles de 4 cm, floraison abondante, 15-30 cm de haut. Pour potées, fleurissent en août. Variétés rouge écarlate, rouge carmin, blanche, bleue.

• Groupe « Comète basse » **(1)** : pétales étroits, enroulés, 25 cm de haut. Fleurissent la deuxième quinzaine d'août et en septembre. Mélanges bleu-violet, rouge écarlate et blanc Aussi variétés pures.

• Groupe « Margaret simple » **(2)** : fleurs doubles, 60 à 70 cm de haut. Floraison août et sep tembre. Coloris blanc, rose, rouge carmin, rouge foncé et bleu violet.

• Groupe « Reine-marguerite rayonnante » **(3)** : corolles de 10 à 12 cm, hauteur 70 à 100 cm Floraison août et septembre. Variétés mélangées et pures, par exemple blanc, ou rouge feu.

• Groupe « Bouquet » : fleurs échevelées de 8 à 10 cm de diamètre, 60 à 90 cm de haut. Flo raison en août. Existe en coloris pur, blanc, rose, rouge carmin, rouge écarlate, bleu et er coloris mélangés.

• Groupe « Princesse » **(4)** : fleurs échevelées de 8 à 11 cm de diamètre, 60 à 90 cm de haut Floraison en août et septembre. On cultive le plus souvent les variétés « Bellablanca » blanc jaunâtre, « Carmen » rouge foncé, et « Véronique » bleu violet.

• Groupe « Plume d'autruche » : corolles de 10 à 12 cm, les plantes atteignent 70 à 90 cm de haut. Floraison juillet et août. Existe en coloris purs, blanc, rose, rouge, bleu et en coloris mélangés.

Les marchands de graines offrent encore beaucoup d'autres espèces de reines-marguerites, pa exemple, « Beauté américaine », « Pompon », « Fleuriste », « Unicum », « Madeleine sim ple ».

Campanula medium
campanule à grosse fleur

campanulacées   50-90 cm   juin-juillet   ○ ◪

Origine : Sud de l'Europe. **Description** : plante bisannuelle à feuilles veloutées et fleurs en forme de clochettes dressées en grappes. **Exigences** : sol argileux, sablonneux, riche. **Soins** : planter en pleine terre en août. Recouvrir de branchages avant les fortes gelées. **Reproduction** : par semis clairsemés sur couches en juin. **Utilisation** : en petits groupes décoratifs. En vase, les fleurs tiennent plus ou moins dix jours. **Variétés** : simples et doubles, chacune en blanc, rose et bleu.

Celosia argentea
célosie, amarante crête de coq

amarantacées   15-80 cm   juillet-septembre   ○ ◪

Origine : Inde orientale. **Description** : tige couronnée de petites fleurs en pyramide ou crête de coq. **Exigences** : sol perméable, riche, endroit ensoleillé. **Soins** : planter en pleine terre seulement après les dernières gelées printanières. **Reproduction** : par semis en caissettes en février ou en mars sur couche. Repiquer rapidement les plantes. **Utilisation** : pour massifs de fleurs, décoration de pierres tombales, en jardinières, en vasques. Les fleurs peuvent être séchées pour l'hiver et mises en vase. **Variétés** : *cristata* avec fleurs en crête de coq, *plumosa* (2) avec fleurs en forme de fouet. Existent en variétés jaunes, orange, roses et violettes..

Centaurea moschata (Amberboa moschata)
centaurée ambrette

composées   60-90 cm   juillet-août   ○ ◪

Origine : Asie mineure. **Description** : tige très ramifiée à feuilles lancéolées. Les fleurs de 6 cm de diamètre ont un parfum agréable. **Exigences** : plante facile à cultiver. **Soins** : les plants ne peuvent être transplantés que très jeunes. **Reproduction** : par semis en avril, immédiatement en pleine terre. Eclaircir dès que les graines ont germé. **Utilisation** : pour massifs floraux d'annuelles. Les fleurs restent huit jours fraîches dans un vase. **Variétés** : existe en variété mélangées mais aussi pures, telles que *alba* (3) blanc jaunâtre, *graciosa* rose et *purpurea* pour pre.

Cheiranthus cheiri
giroflée ravenelle

crucifères   25-70 cm   avril-juin   ○ ◪

Origine : Asie orientale. **Description** : plante bisannuelle à feuilles étroites, à bord lisse. Grappes de fleurs simples ou doubles, parfumées. **Exigences** : sol argileux, amélioré d'engrais et suffisamment calcaire. **Soins** : en automne, planter en pleine terre les plants cultivés en caissettes. Protéger du froid au moyen de branches de sapin. **Reproduction** : par semis sur couche, en mai et juin. **Utilisation** : pour parterres printaniers avec d'autres bisannuelles et de bulbeuses. Peut être cultivée d'abord en serre. **Variétés** : se divisent en groupes « doubles hautes » et « doubles naines », « simples hautes » et « simples naines » avec fleurs de coloris jaune or, jaune canaris, brun et violet.

Chrysanthemum carinatum (C. tricolor)
chrysanthème tricolore, chrysanthème à carène

composées   40-80 cm   juillet-septembre   ○ ◪

Origine : Amérique du Nord. **Description :** feuilles très découpées, corolles de 7 cm de large, au sommet de tiges longues et droites. **Exigences :** tout sol normal de jardin. **Soins :** planter en place à mi-mai. **Reproduction :** on peut semer directement en place à fin avril puis éclaircir les plants. **Utilisation :** pour parterres fleuris multicolores. Les fleurs coupées tiennent dix jours en vase. **Variétés :** la plus souvent cultivée est « cocarde », blanc avec cercle jaune ou rouge autour d'un cœur brun ; *atrococcineum,* rouge foncé à cercle jaune ; « Etoile polaire », blanc à cœur foncé ; *dunetii aureum,* jaune.

Chrysanthemum segetum
chrysanthème des moissons

composées   30-60 cm   juillet-octobre   ○ ◪

Origine : régions méditerranéennes. **Description :** plante ramifiée, feuilles dentées, corolles de 8 cm, tiges fortes. **Exigences :** plante facile à cultiver. **Soins, reproduction et utilisation :** comme l'espèce précédente. **Variétés :** en variétés pures on trouve « El dorado », jaune vif à cœur brun ; « Etoile d'Orient », jaune vif à cœur sombre et cercle jaune ; « Hélios », jaune d'or à centre jaune.

Clarkia unquiculata
clarkia élégant

onagracées   40-60 cm   juillet-août   ○ ◪

Origine : Californie. **Description :** tige assez fragile à feuilles allongées, ovoïdes. De la jointure feuille-tige partent les fleurs de 4 cm de large. **Exigences :** endroit ensoleillé et abrité. **Soins :** étêter pour élargir les plantes, mais alors elles fleurissent plus tard. **Reproduction :** par semis en avril en place, ensuite éclaircir. **Utilisation :** pour massifs d'annuelles multicolores. Les fleurs coupées restent fraîches huit ou dix jours dans un vase. **Variétés :** en mélange de couleurs, mais aussi blanc, rouge foncé, ou rose.

Cleome spinosa
cléome

capparacées   80-150 cm   juin-octobre   ○ ◪

Origine : Amérique centrale. **Description :** tige droite à feuilles duveteuses, palmées. Fleurs en grappes. **Exigences :** sol léger, humeux. **Soins :** planter en pleine terre après les dernières gelées. **Reproduction :** par semis sur couche en mars. Repiquer en godets aussi vite que possible. **Utilisation :** comme plante isolée ou en petits groupes devant des arbustes. Les fleurs coupées restent 15 jours fraîches en vase. **Variétés :** « Reine Blanche », coloris blanc ; « Reine Rose », rose ; « Reine pourpre », rouge écarlate.

Coleus blumei hybrides **coléus, ortie d'appartement**

labiacées 25-40 cm ○ ◑ ◪

Origine : Afrique tropicale. **Description :** la tige droite porte des feuilles opposées, cordiformes, joliment colorées. Petites fleurs groupées, violet clair. **Exigences :** endroit chaud et ensoleillé, mais la plante supporte la mi-ombre. **Soins :** planter en pleine terre seulement la deuxième quinzaine de mai. Doit passer l'hiver dans une serre chauffée et avoir de la lumière naturelle. **Reproduction :** par semis en février en caissettes, cultivés dans une serre chauffée. En hiver, reproduction aussi possible par bouturage. Les boutures s'enracinent en cinq à sept jours par une température de 22 à 25°C. **Utilisation :** principalement pour tapis de fleurs dans les parcs ou en vasques avec des annuelles. Aussi appréciée comme plante d'appartement. **Variétés :** en général en mélanges mais aussi pures, par exemple, « Arc-en-Ciel », rouge sang avec fin bord jaune-vert ; « Sumac », vert avec motifs jaunes ; « Or des Pyrénées », jaune pâle.

Convolvulus tricolor **belle de jour**

convolvulacées 25-30 cm juillet-septembre ○ ◪

Origine : Afrique du Nord. **Description :** buisson très ramifié à feuilles ovoïdes. Corolles en entonnoir, de 5 cm de large, qui ne s'ouvrent que pendant la matinée. **Exigences :** endroit chaud et abrité. La floraison est mauvaise si le sol est trop riche. **Soins :** ne supporte pas la transplantation. **Reproduction :** par semis en place en avril. Ensuite éclaircir à 15 cm de distance. **Utilisation :** en jardinières et vasques. Aussi pour parterres à floraison rapide. **Variétés :** « Minerve », avec fleurs bleu gentiane et entonnoir blanc-jaune. Aussi en mélanges dans des dégradés de bleu, violet et rose-rouge.

Coreopsis tinctoria (Calliopsis bicolor) **coréopsis élégant**

composées 15-100 cm juillet-septembre ○ ◪

Origine : Amérique du Nord. **Description :** les tiges droites et ramifiées ont des feuilles très découpées. Les corolles peuvent avoir jusqu'à 8 cm de large. **Exigences :** bon sol de jardin perméable et suffisamment de soleil. **Soins :** planter en mai dans les parterres à distance de 20 × 20 cm les plants cultivés en caissettes. Après la floraison, on peut raccourcir les tiges et les plantes refleuriront de nouveau en automne. **Reproduction :** par semis en mars sur couche. La graine germe endéans huit à dix jours et sa faculté germinative dure trois ans. Durcir les plants avant la transplantation. **Utilisation :** espèces courtes et sous-espèces pour parterres de parc et de jardin, les plus hautes pour fleurs à couper. Restent fraîches dans l'eau environ neuf jours. **Variétés :** les fleurs ont différents tons de jaune, rouge et brun. La variété « Drummond » **(3)** atteint 35 cm de haut, les fleurs sont rouge-brun. *Nana radiata tigrina* **(4)** a des fleurs de 4 cm de large, coloris brun-rouge avec taches jaunes. Il existe des espèces doubles.

Cosmos bipinnatus

cosmos

composées   80-120 cm   juillet-octobre   ○ ◪

Origine : Mexique. **Description** : plante ramifiée à feuilles finement dentées. Les fleurs simples peuvent avoir jusqu'à 10 cm de large. **Exigences** : se contente d'un sol argileux, sablonneux et léger. **Soins** : arroser régulièrement. **Reproduction** : par semis fin avril, directement en place. Eclaircir par après. **Utilisation** : en groupes isolés ou dans une plate-bande. La fleur coupée se fane rapidement en vase. **Variétés** : les plus recherchées sont « Sensation » (1), pourpre, à fleur géante ; « Gloria », rose carmin avec tache ; « Psyché », fleurs semi-doubles en collerette.

Cosmos sulphureus

cosmos à fleur jaune

composées   60-90 cm   août-septembre   ○ ◪

Origine : Brésil et Mexique. **Description** : les fleurs n'ont que 6 cm de large. **Exigences, soins, reproduction et utilisation** : comme pour l'espèce précédente. **Variétés** : « Goldcrest », jaune d'or ; « Sunset » (2), orange vif.

Cucurbita pepo

coloquinte-coloquinelle

cucurbitacées   150-250 cm   juillet-septembre (fruits)   ○ ◪

Origine : Amérique. **Description** : plante grimpante à grandes feuilles rugueuses. Les fleurs jaunes donnent des fruits décoratifs de formes variées. **Exigences** : sol perméable, enrichi d'engrais. Arrosages abondants. **Soins** : mettre les plants en terre après les dernières gelées printanières au moment où ils forment les deux premières feuilles. **Reproduction** : on sème les graines en avril par groupes de trois, dans des pots mis sur couche, en attendant la transplantation. Dans les régions plus chaudes, on sème directement en place la première quinzaine de mai. **Utilisation** : décoration de murs, pergolas et de constructions propres à l'architecture de jardin. La plante peut garnir de grandes jarres sur terrasses et balcons. Les fruits sont utilisés l'hiver pour la décoration des intérieurs. **Variétés** : les graines sont vendues le plus souvent en mélanges variés.

Delphinium ajacis (Consolida ajacis)

pied d'alouette des jardins

renonculacées   40-130 cm   juin-août   ○ □ ◪

Origine : régions méditerranéennes. **Description** : tige droite peu ramifiée à feuilles vert foncé profondément divisées, se terminant par une longue grappe de fleurs assez grandes. **Exigences** : sol perméable et riche. Endroit abrité. **Soins** : respecter un espacement de 25 × 25 cm. **Reproduction** : par semis en place en avril. Eclaircir quand la graine a levé. **Utilisation** : pour plates-bandes d'annuelles multicolores. Restent fraîches huit jours en vase. **Variétés** : le grand nombre de variétés est divisé en groupes selon les caractéristiques communes : « Courtes à fleurs de jacinthe », 50 à 60 cm, grappe serrée de fleurs assez grandes ; « Géantes à fleurs de jacinthe », 100 à 130 cm, aussi grappe serrée de grandes fleurs ; « Doubles hautes », 110 à 130 cm, avec grappe plus clairsemée de plus petites fleurs doubles ; « Exquisit », 100 à 120 cm, très ramifiée, à longues grappes serrées de grandes fleurs. Pour chaque groupe, il existe des variétés en mélanges ou bien pures, blanc, saumon, rose, rouge carmin, bleu clair et bleu foncé.

Dianthus barbatus   **œillet de poète**

caryophyllacées   25-60 cm   juin-août   ○ ◪

Origine : Sud de l'Europe. **Description :** feuilles vert foncé, lancéolées. Les petites fleurs simples ou doubles sont groupées en bouquets arrondis de 10 cm de large. **Exigences :** sol argileux, sableux, calcaire, riche en éléments nutritifs. **Soins :** planter fin août dans les platesbandes. **Reproduction :** par semis fin mai en pleine terre bien préparée. Repiquer les plants rapidement à une distance de 2 × 3 cm. **Utilisation :** fleurs à couper très appréciées, restent fraîches neuf jours en vase. Aussi pour plates-bandes, décoration de pierres tombales, jardinières et vasques. **Variétés :** existent en variétés mélangées mais aussi pures, par exemple, « Messager varié », simple, très précoce ; « Pink Beauty », simple, rose saumoné ; « Scarlet Beauty », simple, écarlate intense.

Dianthus caryophyllus   **œillet des fleuristes**

caryophyllacées   25-90 cm   juin-juillet   ○ ◪

Origine : Sud de l'Europe. **Description :** tige noueuse à feuilles étroites d'un vert gris. Fleurs assez grandes simples ou doubles à pétales lisses ou découpés sur les bords, parfum agréable. **Exigences :** terre enrichie d'engrais. **Soins :** planter seulement quand tout risque de gelée a disparu. On étête les plants pour qu'ils se ramifient mieux. **Reproduction :** par semis en février dans des caissettes gardées en serre. **Utilisation :** pour plates-bandes et fleurs à couper. **Variétés :** l'espèce primitive n'est plus cultivée, par contre il y a beaucoup d'autres belles espèces divisées en plusieurs groupes. Les œillets « Chabaud » **(2)** ont de grosses fleurs et fleurissent à plusieurs reprises jusqu'aux premières gelées. Le groupe « Grenadin » a des pétales un peu plus petits et légèrement enroulés, la hauteur ne dépassant pas 50-60 cm. Les œillets « de Vienne » à fleurs doubles atteignent 35 cm.

Dianthus chinensis   **œillet de Chine**

caryophylacées   25-40 cm   juillet-septembre   ○ ◪

Origine : Chine. **Description :** plante très ramifiée à feuilles gris vert. Les fleurs inodores peuvent avoir jusqu'à 8 cm de large et les pétales sont souvent frangés. Ils sont en général multicolores avec une tache noire, un centre foncé et sont cerclés de blanc. Le dessous des pétales est souvent différemment coloré. **Exigences :** terre argileuse, sableuse et riche. **Soins :** planter dans les parterres seulement à mi-mai. Dès l'enracinement, étêter pour ramifier les plants. **Reproduction :** par semis sur couche en mai, puis repiquer. **Utilisation :** comme pour l'espèce précédente. **Variétés :** les œillets de Chine sont généralement fournis en mélanges foncés de différentes couleurs, mais aussi en variétés pures, comme par exemple, « BabyDoll » **(3)**, rouge avec bord blanc ; « Bravo », rouge écarlate ; « Lucifer », rouge orange. A côté des fleurs simples, il y a aussi des variétés améliorées à fleurs doubles multicolores, comme « Impérial double » **(4)**.

Dimorphoteca sinuata (D. aurantiaca)   **dimorphotéca**

composées   15-40 cm   juin-septembre   ○ □

Origine : Afrique du Sud. **Description :** plante ramifiée à feuilles allongées, lancéolées. Les fleurs ont environ 5 cm de large. **Exigences :** endroit ensoleillé, sol perméable. **Soins :** couper les fleurs fanées ; ne supporte pas la transplantation. **Reproduction :** par semis directement en place fin avril. **Utilisation :** pour parterres d'annuelles, comme garniture dans des endroits secs ou dans les rocailles, après la floraison des plantes bulbeuses hâtives. **Variétés :** existe le plus souvent en mélanges de couleurs dans les tons orange, jaune ou blanc. Parmi les variétés pures on trouve surtout « Goliath » **(1)** orange vif à disque brun ; « Flot d'or » jaune d'or ; « Etoile Polaire », blanc de neige à disque violet.

Dorotheanthus bellidiformis (Mesembryanthemum criniflorum)
mésembryanthème, ficoïde

aizoacées   3-10 cm   juillet-septembre   ○ □

Origine : Afrique du Sud. **Description :** tige basse, rougeâtre à feuilles épaisses, bleu vert. Les fleurs ont environ 5 cm de large. **Exigences :** sol sec et endroit ensoleillé. **Soins :** mise en terre des plants cultivés en pépinière seulement à la mi-mai. Une terre trop grasse nuit à la richesse de la floraison. **Reproduction :** par semis fin mai sur couche : ensuite repiquer en godets. **Utilisation :** pour tapis de fleurs colorés, bordures, décoration de pentes à sol sec ou dans les rocailles après la floraison des bulbeuses hâtives. **Variétés :** il n'existe dans le commerce qu'un mélange de coloris blanc, jaune, rose, saumon, rouge carmin ou violet.

Echium lycopsis (E. plantagineum)   **échium, vipérine**

boraginacées   35-100 cm   juin-août   ○ □

Origine : Sud de l'Europe. **Description :** feuilles duveteuses, lancéolées. Les fleurs en clochettes, groupées en épis, sont tournées vers le côté. **Exigences :** bien développées, les plantes ne supportent plus la transplantation. **Reproduction :** par semis en place en mars. **Utilisation :** pour parterres d'annuelles. **Variétés :** se trouvent dans le commerce en coloris mélangés, par exemple « Hybrides nains » **(3),** mais aussi en variétés pures à fleurs roses devenant bleues ou à fleurs blanches. Hauteur : 35 cm.

Eschscholtzia californica   **éschscholtzia**

papavéracées   30-50 cm   juin-octobre   ○ □ ◪

Origine : Californie. **Description :** plante ramifiée à feuillage gris vert très découpé. Les fleurs de 8 cm en entonnoir évasé ne s'ouvrent que par temps ensoleillé. **Exigences :** l'humidité excessive ne leur convient pas. **Soins :** ne peuvent être transplantées. **Reproduction :** par semis au printemps ou déjà en automne directement en place. **Utilisation :** pour parterres d'annuelles, décoration de pentes à sol sec, dans les rocailles, au sommet d'un mur fleuri. **Variétés :** se trouvent dans le commerce en mélanges d'espèces simples ou doubles, mais aussi en variétés pures, par exemple orange foncé **(4),** blanc crème ou rose carmin.

Gaillardia pulchella (G. bicolor)   **gaillarde gracieuse**

composées   25-70 cm   juillet-octobre   ○ □ ◪

Origine : Amérique du Nord. **Description :** plante ramifiée à feuilles allongées. Les fleurs on environ 6 cm de large. **Exigences :** sol riche, perméable ; endroit chaud, protégé. **Soins :** plan ter en place seulement en mai. **Reproduction :** par semis sur couche en mars. **Utilisation** pour parterres colorés. Fleur coupée très appréciée, reste fraîche cinq à huit jours en vase **Variétés :** ce qu'on offre chez les marchands de graines se résume à un mélange de variété simples ou doubles, par exemple, « Lorenziana » **(1)**, double, brun jaune ; et « Bourgogne » avec fleur simple rouge carmin et centre foncé. Les variétés pures sont rares.

Gazania hybrida   **gazania**

composées   15-30 cm   juin-octobre   ○ □ ◪

Origine : Afrique du Sud. **Description :** d'une touffe de feuilles basses, vertes sur le dessus veloutées sur le dessous, s'élève la tige qui porte des fleurs de 8 cm de large. **Exigences :** so chaud, perméable. En exposition mi-ombragée, les fleurs ne s'ouvrent pas. **Soins :** plante seulement à la mi-mai. Couper les fleurs fanées. **Reproduction :** par semis sur couche en mars ensuite repiquer en godets par groupes de trois plants. **Utilisation :** pour parterres d'annuelles jardinières et vasques fleuries. **Variétés :** les variétés améliorées sont vendues en mélanges d coloris jaune, orange, rouge et brun bronze.

Godetia grandiflora   **godétia**

onagracées   20-40 cm   juin-septembre   ○ ◪

Origine : Californie. **Description :** plante peu ramifiée à feuilles lancéolées ; fleurs larges d 8 cm, en forme de coupe. **Exigences :** ne supporte pas un excès d'humidité. **Soins :** plantatior en mai des plants cultivés en pépinière. **Reproduction :** par semis sur couche en mars, repique rapidement. **Utilisation :** pour parterres d'annuelles ; les espèces courtes conviennent pour l jardin de rocailles. **Variétés :** parmi les espèces à fleurs simples, « Naines en mélanges » **(3)** en coloris pastels ; et d'autres espèces rouge foncé, rose pâle à tache, orange saumon, et blan pur. Les mêmes existent avec fleurs doubles.

Helipterum roseum (Acroclinium roseum)   **immortelle**

composées   30-55 cm   juillet-septembre   ○ □ ◪

Origine : Australie. **Description :** plante ramifiée à feuilles étroites, alternes ; fleurs solitaires de texture sèche, à centre jaune. **Exigences :** sol humeux, perméable. Ne supporte pas un so calcaire. Endroit ensoleillé, abrité. **Soins :** semis sur couche à la fin mars. **Utilisation :** princi palement fleur à couper ; en hiver les fleurs séchées sont décoratives en vase. **Variétés :** e mélange de différents coloris de rose, blanc et rouge.

Hordeum jubatum   **orge à crinière**

graminées   40-60 cm   juin-août   ○ ◪

Origine : Amérique du Nord. **Description :** graminée formant un buisson de tiges droites à longs épis barbus de 5 à 12 cm ; feuillage souple. **Exigences :** très facile à cultiver. **Soins :** dis tance de 15 cm à observer entre deux plantes. **Reproduction :** par semis en place fin avril. On peut aussi semer en godets sur couche. **Utilisation :** en groupes petits ou grands pour massif décoratifs. Convient aussi pour bouquets frais ou séchés. **Variétés :** seule l'espèce primitive es cultivée et il n'y a jusqu'à aujourd'hui pas de variétés connues.

Iberis amara (I. coronaria)   **thlaspi blanc**

crucifères   20-30 cm   mai-août   ○ ◪

Origine : Sud de l'Europe. **Description :** tige ramifiée à petites feuilles lancéolées, finemen dentées à bout arrondi. La fleur s'allonge en une sorte de candélabre. Fleur très parfumée **Soins :** planter à distance de 25 × 25 cm. **Reproduction :** par semis directement en place en avril. **Utilisation :** pour parterres colorés d'annuelles, comme garniture de jardinières et vas ques. Très bon effet en plantation entre des dahlias, des iris et des fleurs du même genre. Rest fraîche huit jours en vase. **Variétés :** « Géante à fleur de jacinthe », blanc pur, 30 cm de haut

Iberis umbellata   **thlaspi lila**

crucifères   25-35 cm   juin-août   ○ ⌐

Origine : Sud de l'Europe. **Description :** feuilles lancéolées, pointues ; grappe de fleur ombelliforme qui ne s'agrandit pas en cours de floraison. **Exigences, soins, reproduction e utilisation :** les mêmes que pour l'espèce précédente. **Variétés :** l'espèce primitive a des fleur rose violet de 1 cm de large, mais il existe des variétés telles que *alba,* blanc pur ; *dunetii,* vio let pourpré ; « Rose cardinal », rose pur ; et « Volcan », rouge carmin.

Impatiens walleriana (I. holstii)   **impatiens**

balsaminacées   15-60 cm   juin-septembre   ○ ◑ ◪

Origine : Afrique tropicale. **Description :** tige très ramifiée, charnue. Feuilles lancéolées, d forme elliptique. Les fleurs ont environ 4 cm de large. **Exigences :** sol perméable, humide Supporte bien la mi-ombre. **Soins :** planter après les dernières gelées printannières. **Reproduc tion :** par semis clairsemé sur couche, à la mi-mars ; ensuite repiquer en godets. **Utilisation** en massifs sous des arbres élevés. Aussi comme garniture de jardinières et vasques. **Variétés** à côté de coloris en mélange, on trouve aussi des variétés pures, par exemple rose saumon rouge sang à feuille foncée, ou orange à feuille bronze.

Ipomoea purpurea (Convolvulus purpureus)　　　ipomée volubilis

convolvulacées　　　200-400 cm　　　juin-octobre　　　○ ◪

Origine : Afrique tropicale. **Description** : plante grimpante à tige ramifiée et feuilles cordiformes. Les grandes fleurs en forme d'entonnoir s'ouvrent tôt le matin et se referment déjà avant midi. **Exigences** : endroit chaud et abrité. Un sol trop riche ne convient pas à la plante. Elle a besoin d'un tuteur (fil de fer ou autre) pour grimper. **Reproduction** : par semis directement en place début avril. **Utilisation** : pour pergolas et palissades. Convient aussi pour jardinières fleuries sur terrasses et balcons. **Variétés** : existe en mélange mais aussi en variétés pures, par exemple bleu, ou rouge carmin.

Kochia scoparia　　　kochia

chénopodiacées　　　60-100 cm　　　août-septembre　　　○ ◪

Origine : Sud de l'Europe et Asie mineure. **Description** : plante très droite et très ramifiée à feuilles linéaires, très fines. Petites fleurs jaune vert peu apparentes. **Exigences** : pousse dans presque tous les sols. **Soins** : plantation dans les parterres seulement la deuxième moitié de mai. **Reproduction** : par semis début avril en godets sur couche, ou plus tard directement en place. **Utilisation** : en exemplaire isolé au jardin, dans un parc ou au cimetière. Convient aussi pour haies temporaires ; l'emploi de tuteurs permet d'obtenir la forme désirée. **Variétés** : *trichophylla*, dont le feuillage prend à l'automne une teinte rougeâtre ; *childsii* par contre reste vert.

Lagurus ovatus　　　gros minet

graminées　　　30-40 cm　　　juin-août　　　○ ☐ ◪

Origine : régions méditerranéennes. **Description** : graminée ornementale formant tapis ; les feuilles sont étroites. Les tiges se terminent en épis blanc de forme ovoïde, à duvet soyeux. **Exigences** : sol perméable, endroit chaud. **Soins** : plantation début mai, dans les plates bandes, des plants cultivés en pépinière. **Reproduction** : par semis sur couche fin mars, dans des godets. **Utilisation** : pour parterres d'annuelles et bordures. Décoration appréciée des vases pendant les mois d'hiver. **Variétés** : seule l'espèce primitive est cultivée.

Lathyrus odoratus　　　pois de senteur

léguminosées　　　100-200 cm　　　juin-septembre　　　○ ◪

Origine : Sud de l'Italie. **Description** : plante grimpante. Les tiges à feuilles paripennées sont garnies de petites vrilles s'accrochant aux tuteurs. Fleurs réunies par petites grappes au bout d'un long pédoncule. **Exigences** : sol riche, endroit chaud. **Soins** : un grillage ou une palissade sont nécessaires comme soutien pour la plante. **Reproduction** : semis en avril, directement en place, en poquets de trois graines. **Utilisation** : barrières en treillis, pergolas ou murs. Convient aussi pour jardinières de balcon et comme fleur à couper (pour un petit vase). **Variétés** : la grande diversité d'espèces en tons pastels est divisée en différents groupes : « Spencer », « Cuthberson Floribunda », « Galaxie », « Royal », « Galoubet », « multiflore Pygmée », « Buisson », « de Noël » et « Gigantea Zvolanek multiflora ».

Lavatera trimestris

lavatère à grande fleur

malvacées   60-100 cm   juillet-octobre   ○ □ ◪

Origine : régions méditerranéennes. **Description :** tiges très ramifiées à feuilles cordiformes et veloutées. La fleur de 6 cm de diamètre, élargie en coupe est portée par un long pédoncule. **Exigences :** sol léger, sec plutôt pauvre. **Soins :** dans un sol contenant trop d'engrais, la plante donne beaucoup de verdure mais peu de fleurs. **Reproduction :** semis directement en place en avril. **Utilisation :** pour parterres. Les fleurs coupées sont peu résistantes dans l'eau. **Variétés :** à part l'espèce primitive à fleurs roses, on trouve aussi *albiflora,* blanche ; *splendens,* rouge carmin ; « Loveliness » **(1),** rose foncé ; « Sunset », rose lilas à veinures foncées ; et « Tanagra » rose.

Limonium sinuatum

statice sinuata

plumbaginacées   60-80 cm   juillet-septembre   ○ □ ◪

Origine : régions méditerranéennes. **Description :** d'un groupe de feuilles allongées, légèrement veloutées s'élève une tige ramifiée portant quantité de petites fleurs. **Exigences :** sol léger, perméable, riche. **Soins :** planter dans les plates-bandes seulement fin avril. **Reproduction :** par semis sur couche en mars. Ensuite repiquer les plants. **Utilisation :** pour parterres. La fleur séchée est très appréciée. **Variétés :** l'espèce primitive a le calice bleu et les pétales jaunes. Aujourd'hui on trouve surtout des variétés blanches, rouge carmin et bleu foncé violet **(2).**

Limonium suworowii

statice suworowii

plumbaginacées   40-70 cm   juillet-septembre   ○ □ ◪

Origine : Turkestan. **Description :** les petites fleurs rose rouge en groupe allongé font penser à une branche de corail. **Exigences, soins, reproduction, utilisation :** les mêmes que pour l'espèce précédente. **Variétés :** seule l'espèce primitive est cultivée.

Lobularia maritima (Alyssum maritimum)

alysse odorant

crucifères   8-40 cm   juin-septembre   ○ □ ◪

Origine : régions méditerranéennes. **Description :** plante très ramifiée à tige rampante puis dressée, feuilles lancéolées, allongées. Grappe formée d'une quantité de petites fleurs blanches au parfum agréable. **Exigences :** se développe dans tout sol normal du jardin. **Soins :** planter en place début mai. Après la floraison, on raccourcit les tiges, la plante pousse à nouveau et refleurit. **Reproduction :** par semis sur couche fin mars. Repiquer les plants en godets. On peut aussi semer directement en place. **Utilisation :** comme tapis de fleurs dans un parterre ou en plantation parmi des dahlias. Aussi pour garniture de jardinières et vasques. **Variétés :** on apprécie les variétés « Nuit d'Orient », violet foncé ; « Snowdrift », blanc ; « Violet Queen », rose pourpré ; et « Tapis de Neige », blanc **(4).**

Lonas annua (L. inodora)

lonas inodore

composées   30-40 cm   août-septembre   ○ ◩

Origine : Alger. **Description :** plante à tige raide, ramifiée, couronnée d'un bouquet de petits capitules. Feuillage très découpé. **Exigences :** tout sol normal de jardin ; endroit chaud. **Soins :** mise en terre en mai des plants cultivés en pépinière. **Reproduction :** par semis en caissettes début mars en serre. Repiquer rapidement et cultiver les plantes encore sur couche. **Utilisation :** pour parterres colorés ; les fleurs séchées sont très décoratives. **Variétés :** seule l'espèce primitive à fleurs jaunes est cultivée.

Matricaria inodora (Chrysanthemum maritimum) camomille inodore

composées   25-40 cm   juin-octobre   ○ ◩

Origine : régions méditerranéennes. **Description :** tige ramifiée à feuillage très découpé. La fleur a 4 cm de large, le centre jaune est entouré de pétales blancs allongés. **Exigences :** espèce facile à cultiver. **Soins :** en mai plantation en pleine terre des plants cultivés en pépinière. **Reproduction :** par semis sur couche fin mars. Il faut durcir les plants avant de repiquer. **Utilisation :** pour parterres colorés d'annuelles. Les fleurs restent fraîches douze à quatorze jours en vase. **Variétés :** sont appréciées les variétés doubles à grandes fleurs blanches, la variété blanche (2) et la variété jaune crème.

Matthiola incana

giroflée quarantaine

crucifères   25-70 cm   mai-septembre   ○ ◩

Origine : régions méditerranéennes. **Description :** les tiges portent de longues feuilles veloutées en-dessous. Les fleurs de 4 cm de large ont un parfum agréable. **Exigences :** sol argileux, sableux et riche. **Soins :** mise en pleine terre déjà la deuxième moitié d'avril des plants durcis. **Reproduction :** en février par semis en caissettes ou en mars sur couche. Repiquer en godets. **Utilisation :** pour parterres et fleurs à couper. **Variétés :** on cultive des sous-espèces en coloris blanc, jaune, rose, rouge, rouge carmin, bleu et aussi en coloris mélangés. On les groupe selon la hauteur, l'époque de floraison et l'aspect de la fleur en « grande fleur double variée », « grande fleur 100 % double », « remontante à grande fleur », « Excelsior Gerbe » et « Excelsior 100 % double ».

Mimulus hybrida

mimulus

scrophulariacées   60-100 cm   juillet-septembre   ○ ◩

Origine : Amérique latine. **Description :** tige ramifiée à feuilles cordiformes. Les fleurs de 6 cm de large, en entonnoir, se présentent en grappes. **Exigences :** sol frais ; endroit mi-ombragé. **Soins :** planter en pleine tere à mi-mai. **Reproduction :** par semis en caissettes la deuxième quinzaine de mars ou sur couche. Repiquer en godets. Etêter pour ramifier la plante. **Utilisation :** pour parterres d'annuelles, garniture de jardinières et de vasques. **Variétés :** se trouve principalement en variétés mélangées. Parmi les variétés pures, il y en a une rouge orange avec entonnoir rouge rouille, et une blanche à tache rouge.

Mirabilis jalapa

belle de nuit

nyctaginacées   60-80 cm   juin-octobre   ○ ◪

Origine : Mexique. **Description :** plante à racines tubéreuses ; les fleurs en entonnoir à tube grêle s'épanouissent en fin d'après-midi et se ferment dans la matinée. Parfum assez fort. **Exigences :** terre profonde, riche, réchauffée. **Soins :** planter seulement fin mai, car la plante ne supporte pas un léger gel nocturne. **Reproduction :** par semis sur couche début avril. Les tubercules peuvent comme ceux des dahlias être gardés l'hiver à l'abri du froid. **Utilisation :** en exemplaire isolé ou en petits groupes dans un massif. Convient à la décoration de grandes vasques sur les terrasses et balcons. **Variétés :** la plante est cultivée en mélanges de coloris lumineux, jaune, rose, rouge et blanc.

Myosotis hybrida

myosotis

boraginacées   10-35 cm   mars-avril   ○ ◑ ◪

Origine : les Alpes. **Description :** plante bisannuelle déjà très ramifiée au niveau du sol, feuilles allongées, duveteuses. **Exigences :** sol bien préparé, riche. **Soins :** la meilleure saison pour planter dans les parterres est le printemps. On protège les plantes l'hiver au moyen d'une légère couche de branches de sapin. **Reproduction :** par semis clairsemé. **Utilisation :** pour parterres printaniers en mélange avec des tulipes et des narcisses. Convient aussi pour jardinières et vasques, et comme fleur à couper. **Variétés :** aujourd'hui on cultive surtout des variétés résultant de croisements et provenant de l'amélioration de plusieurs espèces. On trouve de belles variétés à fleurs de coloris bleu, rose et parfois blanc pur.

Nemesia hybrida

némésia

scrophulariacées   20-45 cm   juin-août   ○ ◪

Origine : Afrique du Sud. **Description :** plante à feuilles étroites. Les nombreuses petites fleurs forment des grappes terminales. **Exigences :** sol perméable, riche. **Soins :** planter en pleine terre seulement en mai après les dernières gelées. **Reproduction :** par semis clairsemé sur couche fin mars. **Utilisation :** pour parterres, comme garniture de jardinières et vasques. **Variétés :** plante cultivée en général en mélange de tons pastels. Il y a aussi de belles variétés améliorées, par exemple le némésia d'Afrique « Carnaval », à fleurs deux fois plus grandes que celles du type et de coloris extrêmement vifs.

Nicotiana × sanderae

tabac à fleurs

solanacées   60-100 cm   juillet-septembre   ○ ◪

Origine : Amérique latine. **Description :** grandes feuilles duveteuses, ovoïdes ; fleurs à long entonnoir ne s'ouvrant que la nuit. **Exigences :** sol argileux, humeux, endroit chaud, abrité. Arrosages abondants. **Soins :** mise en pleine terre des plants cultivés en pépinière seulement fin mai. **Reproduction :** par semis sur couche seulement en avril. Il faut durcir progressivement les plants. **Utilisation :** en groupes petits ou grands pour décorer les endroits quelconques du jardin. **Variétés :** on cultivait autrefois les variétés à fleurs rouge vif, mais maintenant on trouve aussi des variétés améliorées ayant d'autres coloris.

Nigella damascena   nigelle de Damas

renonculacées   30-50 cm   juin-septembre   ○ ◪

Origine : régions méditerranéennes. **Description :** tige droite ramifiée à feuilles finement découpées. Les fleurs de 4 cm de large sont entourées de bractées filiformes. **Exigences :** pousse dans presque tout sol de jardin. **Soins :** mettre en terre en mai les plants cultivés en pépinière. **Reproduction :** par semis sur couche fin mars ou directement en place fin avril. **Utilisation :** pour parterres d'annuelles. Les fleurs coupées restent fraîches six jours dans un vase. **Variétés :** cultivée en mélange de couleurs ou en variétés pures, par exemple bleu ciel, bleu indigo, blanc, rose et rouge.

Papaver rhoeas   pavot coquelicot

papavéracées   30-80 cm   mai-juillet   ○ ◪

Origine : Sud de l'Europe et Asie. **Description :** tige dressée à feuilles découpées. Si la tige se casse, un lait blanc s'en écoule. Fleurs au bout d'un long pédoncule. **Exigences :** sol perméable avec assez d'éléments nutritifs. **Soins :** ne supporte pas la transplantation. **Reproduction :** le pavot a une racine pivotante, c'est pourquoi on le sème directement en place en avril. On éclaircit dès que possible pour que les plantes se développent bien. **Utilisation :** la floraison est de courte durée, aussi on le place à un endroit précis, là où un effet de tache colorée est recherché. **Variétés :** l'espèce primitive a des fleurs rouge écarlate avec une tache noire à la base. Se trouve dans le commerce en mélange où sont représentés les coloris blanc, rose pâle, rouge cuivre, rouge écarlate, rouge carmin et rouge pourpre en tons dégradés.

Papaver somniferum   pavot grand, pavod des jardins

papavéracées   30-90 cm   juin-août   ○ ◪

Origine : pays d'origine inconnu, mais le pavot pousse à l'état sauvage dans toutes les parties du monde. **Description :** feuillage bleu vert, non duveteux, grandes fleurs. **Exigences, soins, reproduction et utilisation :** les mêmes que pour l'espèce précédente. **Variétés :** presque toutes les couleurs, sauf le jaune et le bleu sont représentées. On cultive la variété *paeoniaeflorum* à fleurs doubles comme fleur décorative, en mélange et en coloris purs.

Pentstemon hybrida   pentstémon à fleur de gloxinia

scrophulariacées   30-90 cm   juin-septembre   ○ ◪

Origine : Mexique. **Description :** d'une touffe de feuilles allongées s'élève une tige droite se terminant par une longue grappe de fleurs en forme de clochettes. **Exigences :** sol perméable, endroit chaud et abrité. **Soins :** mise en terre la deuxième moitié d'avril des plants cultivés en pépinière. **Reproduction :** par semis en caissettes déjà en février. Repiquer dès que possible en godets. **Utilisation :** pour parterres d'annuelles. Les fleurs coupées restent fraîches six jours environ dans un vase. **Variétés :** existe dans le commerce en mélange de tons de coloris rouge, violet, bleu, jaune, blanc et aussi en variétés bicolores. La variété rouge écarlate à gorge blanche est très appréciée.

Petunia hybrida   **pétunia (hybrides de)**

solanacées   20-70 cm   mai-septembre   ○ ◪

Origine : Argentine et Brésil. **Description :** tiges droites ou retombantes, à petites feuilles entières, ovoïdes et duveteuses. Les fleurs en forme d'entonnoir sont de grandeur et couleur différentes. **Exigences :** plante facile à cultiver sans exigence particulière pour le sol, mais qui demande avant tout beaucoup d'eau. **Soins :** planter en pleine terre dans la deuxième quinzaine de mai. Toutes les deux semaines, il faut arroser le pied de la plante d'une solution d'engrais complet. Enlever les fleurs dès qu'elles sont fanées. **Reproduction :** en février par semis en caissettes dans une serre. Les graines lèvent généralement endéans les dix jours. Après la formation de la deuxième feuille, repiquer dans des godets placés dans une couche. **Utilisation :** massifs de fleurs, jardinières pour décoration de fenêtres et vasques fleuries. **Variétés :** au cours des dernières années, on a créé une grande quantité de variétés améliorées qui se différencient les unes des autres par l'aspect, la couleur, la forme de la fleur, la richesse de floraison, la résistance aux intempéries et par d'autres caractéristiques encore. Pour faciliter le choix, elles ont été divisées en groupes suivants :

• « nain compact » : forme dense, 20 à 30 cm de haut, fleurs petites, les pétales sont lisses. Plante assez résistante, on l'utilise de ce fait pour massifs décoratifs. Coloris : blanc, rose, pourpre et panaché.

• *pendula :* plante très ramifiée à tiges retombantes de 40 à 70 cm de long. Les fleurs à bords entiers ont 7 cm de large et résistent relativement bien à la pluie et à la chaleur, par exemple « Maxi », « Balcon suisse », « Balcon bernois ».

• « à grande fleur frangée **(1)** : 25 à 35 cm de haut seulement. Les fleurs de 7 à 9 cm de large ont les bords des pétales frisés. Les plantes ont besoin d'un emplacement abrité, aussi les emploie-t-on surtout en jardinières pour décoration de fenêtres. Les variétés cultivées le plus souvent ont les coloris rouge violet, et blanc.

• « à fleur moyenne » : plante très ramifiée, 20 à 25 cm de haut seulement. Les fleurs de 8 cm de large sont un peu plus fragiles, par exemple « Mariner F1 **(2)**, bleu foncé ; « Ambassa dor F1 » **(3)**, rouge clair ; « Rose de Haven » **(4)**, rose vif.

• *superbissima :* la plante atteint 40 à 70 cm de haut. Les fleurs qui ont jusqu'à 12 cm de large se caractérisent par des pétales à bords très frisés et par une gorge à veinure marquée. Ils sont relativement fragiles, et cultivés en jardinières dans des endroits abrités ; il est recommandé de placer un léger tuteur. Dans le commerce on les trouve en coloris mélangés.

• « Flore Pleno » : pétunias doubles de 25 à 40 cm de haut. Ils ont de petites ou grandes fleurs assez lourdes donc peu résistantes aux intempéries. On les cultive surtout en coloris mélangés, mais il y a aussi de nouvelles variétés améliorées, par exemple « Caprice F 1 », rose lumineux à grandes fleurs ; « Cardinal F 1 », rouge écarlate, « Cherry Tart F 1 », rouge carmin et blanc ; « Nocturno F 1 », bleu foncé à grandes fleurs ; « Rhapsodie F 1 », pourpre à grandes fleurs ; « Allegro F 1 », rose saumon foncé ; « Lyric F 1 », rose saumon ; « Strawberry Tart F 1 », rouge écarlate et blanc.

Phacelia campanularia

phacéli

hydrophyllacées   15-30 cm   juillet-septembre   ○ [

Origine : Amérique du Nord. **Description** : plante veloutée à feuillage très touffu. **Exigences** elle pousse là où les autres plantes ne se développent pas. **Soins** : le phacélia est très appréc des abeilles. **Reproduction** : par semis début avril directement en place, par petites pincées graines à une distance de 20 × 20 cm. Eclaircir dès que possible. **Utilisation** : pour étendu plus ou moins grandes de fleurs en parterres d'annuelles. A planter après les tulipes, quan celles-ci sont fanées. **Variétés** : le phacélia campanularia a des fleurs bleu gentiane en forme clochettes et des étamines blanches assez spéciales.

Phaseolus coccineus (P. multiflorus)

haricot d'Espagn

légumineuses   300-400 cm   juin-septembre   ○ [

Origine : Amérique du Sud. **Description** : plante à tige non ramifiée, orientée vers la gauche Feuilles cordiformes attachées à la tige par groupes de trois. Grappe non serrée de fleurs ro ges, bleues ou bicolores. **Exigences** : sol perméable, riche, réchauffé. **Soins** : les plantes o besoin d'un treillis pour grimper. **Reproduction** : par semis mi-avril en godets sur couche c mi-mai directement en place. **Utilisation** : garniture de pergolas, clôtures et autres constru tions architecturales de jardin. Convient aussi pour jardinières et jarres. **Variétés** : plusieu variétés sont disponibles dont les fruits (petits pois) sont comestibles.

Phlox drummondii

phlox de Drummon

polémoniacées   15-60 cm   juin-septembre   ○ [

Origine : Mexique. **Description** : plante peu ramifiée à feuilles pointues et tiges se terminar par un corymbe composé de nombreuses fleurs. **Exigences** : endroit ensoleillé et chaud. Bo sol de jardin. **Soins** : planter directement en place déjà fin avril. **Reproduction** : par semis e caissettes en février ou en mars sur couche. Repiquer en godets. **Utilisation** : pour parterre d'annuelles. Espèce haute pour fleurs à couper, basse pour jardinières. **Variétés** : les ma chands de graines offrent des mélanges multicolores, et aussi des variétés en coloris purs.

Portulaca grandiflora

pourpier à grande fleu

portulacacées   10-15 cm   juin-août   ○ [

Origine : Argentine et Brésil. **Description** : tiges basses, charnues. Feuilles en forme de bâtor nets. Les fleurs simples ou doubles ont jusqu'à 3 cm de large. **Exigences** : sol perméabl endroit ensoleillé. Un sol lourd et trop chargé d'engrais nuit au développement de la floraison **Soins** : craint le gel, planter la deuxième quinzaine de mai, à distance de 20 × 20 cm. **Repro duction** : par semis en caissettes fin février, ensuite mettre en godets sur couche, puis repiquer **Utilisation** : pour tapis colorés dans une plate-bande, pour jardinières et vasques. Dans le rocailles après les plantes bulbeuses ou pour un mur fleuri. **Variétés** : cultivée en color mélangés qui donnent des fleurs en blanc, jaune, rose, rouge carmin, rouge écarlate ou viole

Rudbeckia hirta

rudbecki

composées   50-100 cm   juillet-septembre   ○ ◩

Origine : Amérique du Nord. **Description :** plante ramifiée à feuilles allongées, lancéolées veloutées. Les fleurs à centre bombé ont 12 cm de large. **Exigences :** elles se développent l mieux dans un sol lourd. **Soins :** planter directement en place à mi-mai. **Reproduction :** pa semis en mars sur couche. Repiquer plus tard et durcir les plants avant la transplantation. **Uti lisation :** en exemplaire isolé ou en petits groupes entre des annuelles et des vivaces. Les fleur coupées restent fraîches environ 12 jours dans un vase. **Variétés :** on cultive les variété « Monplaisir » **(1),** à fleur géante jaune d'or à centre noir ; « Feu Vert », jaune à centre vert « Marmelade », jaune orange à centre noir.

Salpiglossis sinuata (S. variabilis)

salpiglossi

solanacées   30-100 cm   juin-août   ○ ◩

Origine : Chili. **Description :** tige ramifiée à feuilles allongées, duveteuses et dentées. Grande fleurs en entonnoir. **Exigences :** sol perméable, riche, endroit abrité. **Soins :** planter dans le parterres la deuxième quinzaine de mai. **Reproduction :** par semis sur couche fin mars, repi quer ensuite en godets. **Utilisation :** pour parterres d'annuelles et garnitures de grandes vas ques. Les fleurs coupées restent fraîches environ sept jours dans un vase. **Variétés :** cultivée e mélanges dans les coloris blanc, jaune, rose, rouge, pourpre, violet, bleu et brun avec des vei nures sombres.

Salvia splendens

sauge écarlate

labiées   15-30 cm   mai-septembre   ○ ◩

Origine : Brésil. **Description :** les tiges dressées et ramifiées portent des feuilles opposées, cor diformes, sciées. Les fleurs tubulaires se présentent en épis rouge vif. **Exigences :** un bon sol, riche. **Soins :** planter en pleine terre seulement à la mi-mai. A condition de couper les fleur fanées, la plante fleurit tout l'été. **Reproduction :** par semis en caissettes en janvier. Repique en mars en godets placés sur couche. **Utilisation :** pour massifs dans les jardins et les parcs e pour la décoration de pierres tombales, aussi en jardinières et en vasques. **Variétés :** on cultiv principalement les variétés à fleurs rouge éclatant, par exemple « Hot Jazz », 30 cm de haut ; « Brasier », 25 cm de haut ; et « Flamenco », 20 cm de haut. Il existe aussi des variétés e blanc, bleu, violet, rose et saumon.

Sanvitalia procumbens

sanvitalia

composées   10-25 cm   juillet-octobre   ○ ◩

Origine : Mexique. **Description :** tiges rampantes à feuilles ovoïdes, lancéolées. **Exigences** sol léger, riche, endroit réchauffé. **Soins :** planter en parterres seulement après les dernière gelées. **Reproduction :** par semis sur couche fin mars. Repiquer plus tard. **Utilisation :** pou garnir une pente ensoleillée, pour bordures. Aussi dans les rocailles après la floraison de plantes bulbeuses. **Variétés :** l'espèce primitive a des fleurs jaunes avec un centre noir asse spécial.

Schizanthus wisetonensis hybrida

schizanthus

solanacées 25-40 cm juillet-septembre ○ ◪

Origine : Chili. **Description** : plante très ramifiée à feuilles pennées. **Exigences** : endroit chaud et ensoleillé, bon sol de jardin. **Soins** : planter seulement à la mi-mai en observant une distance de 25 à 30 cm entre deux plantes. **Reproduction** : par semis sur couche la deuxième quinzaine de mars, ou directement en place en avril. **Utilisation** : pour massifs colorés, décoration de jardinières et fleurs à couper. **Variétés** : on vend principalement des variétés en mélanges de fleurs dans les coloris blanc, rose, rouge et pourpre allant jusqu'au violet.

Setaria italica

sétaire d'Italie

graminées 30-100 cm juillet-août ○ □ ◪

Origine : Asie du Sud-Est. **Description** : les tiges se terminent par un épi en panicule de 3 cm de large. **Exigences** : endroit plutôt réchauffé et bon sol de jardin. **Soins** : au Moyen Age, la plante fut cultivée dans le Sud de l'Europe comme céréale. **Reproduction** : par semis en avril ou directement en place en mai. **Utilisation** : en exemplaire isolé, en groupes sur les pelouses ou bien entre des annuelles ou des vivaces courtes. Les épis en vase sont très décoratifs l'hiver. **Variétés** : seule l'espèce primitive est cultivée.

Silene coeli-rosa (Viscaria oculata)

silène

caryophyllacées 30-60 cm juin-août ○ ◪

Origine : Sud de l'Europe. **Description** : buisson serré de feuilles allongées et lancéolées et de fleurs de 3 cm à longues tiges. **Exigences** : se cultive dans presque tous les sols. Si on coupe les tiges fanées, la plante repousse et refleurit. **Reproduction** : par semis sur couche en mars ou directement en place début avril. **Utilisation** : pour parterres d'annuelles, en jardinières et vasques. **Variétés** : cultivées en général uniquement en mélanges dans les coloris blanc, rose, rouge, pourpre et bleu.

Tagetes erecta

rose d'Inde

composées 20-120 cm juillet-septembre ○ ◪

Origine : Amérique du Nord. **Description** : tige dressée à feuilles pennées, alternes. Les fleurs sont composées de pétales plus ou moins enroulés. **Exigences** : sans exigences particulières, s'adapte facilement. **Soins** : planter en pleine terre en mai, car elle ne supporte pas les gelées printanières. **Reproduction** : en mars, par semis clairsemé sur couche. **Utilisation** : pour massifs décoratifs au jardin et dans les parcs. Les espèces courtes pour jardinières et vasques, sur les balcons et terrasses. **Variétés** : les nombreuses variétés sont divisées en groupes :
• « à fleur de chrysanthème » : les pétales sont un peu plus longs et enroulés vers l'intérieur, par exemple « Goldsmith », jaune d'or ; « Glitters », jaune citron ; et « Fantastic », orange.
• « à fleur d'œillet » : à pétales plus larges, découpés et frisés sur les bords de différentes façons, par exemple « Guinea Gold », jaune orangé ; « Yellow Suprême », jaune souffre ; et « Sourvie », jaune d'or.

Tithonia rotundifolia (T. speciosa)   **tithonia, soleil de Californi**

composées   100-150 cm   août-octobre   ○ ⌐

Origine : Mexique. **Description :** plante très ramifiée à feuilles assez grandes, molles, feutrée.
Les fleurs peuvent avoir 15 cm de large et se referment la nuit. **Exigences :** endroit protégé d
vent. **Soins :** la plante craint les gelées, aussi ne la plante-t-on que la deuxième quinzaine d
mai. **Reproduction :** par semis sur couche en mars, ensuite repiquer en godets. **Utilisation :** e
exemplaire isolé, ou en petits groupes. Aussi pour décorer les endroits quelconques du jardin
La fleur coupée reste fraîche en vase environ dix jours. **Variétés :** l'espèce primitive a de
fleurs rouge écarlate à bords jaunes et centre jaune.

Tropaeolum hybrida   **capucin**

tropaéolacées   40-300 cm   juillet-octobre   ○ ◑ □ ⌐

Origine : Amérique du Sud. **Description :** plante très ramifiée à tiges charnues et feuilles ror
des. Les fleurs ont environ 5 cm de large. **Exigences :** sol perméable, sans trop d'engrais
Soins : les espèces grimpantes ont besoin d'un tuteur ou d'un treillis. **Reproduction :** pa
semis à mi-avril en godets placés sur couche. En mai, on peut semer directement en place. Ut
lisation : les espèces courtes en parterres, jardinières et vasques, les espèces grimpantes pour l
décoration de clôtures ou autres constructions. **Variétés :** parmi les variétés grimpantes o
retombantes il y a par exemple « Lucifer », rouge écarlate à feuillage foncé ; « Spit Fire »
rouge vermillon éclatant à feuillage vert franc. Les espèces courtes ne dépassent pas 40 cm d
haut ; on cultive surtout « Roi d'Or », jaune ; « Impératrice des Indes », rose carmin à feui
lage foncé ; « Globe de Feu », écarlate brillant.

Ursinia anethoides   **ursini**

composées   25-30 cm   juin août   ○ ⌐

Origine : Afrique du Sud. **Description :** plante très ramifiée à feuilles finement dentées e
fleurs pouvant atteindre 5 cm. **Exigences :** exposition ensoleillée et sol perméable. **Soins**
planter en pleine terre à mi-mai les plants cultivés en pépinière. **Reproduction :** par semis su
couche en mars ou directement en place la deuxième quinzaine d'avril. **Utilisation :** pour pa
terres d'annuelles. **Variétés :** l'espèce primitive a des fleurs jaune orange avec un cercle roug
pourpre autour du centre.

Venidium fastuosum   **vénidium**

composées   20-80 cm   juin-septembre   ○ ⌐

Origine : Afrique du Sud. **Description :** tige dressée, ramifiée à feuilles allongées, lobées. Le
fleurs qui peuvent avoir jusqu'à 10 cm de large et se referment la nuit. **Exigences :** sol perméa
ble, riche. **Soins :** planter en pleine terre au début de mai les plants cultivés en pépinière
Reproduction : par semis sur couche seulement au début d'avril. **Utilisation :** comme parte
res de transition. Les fleurs coupées restent fraîches environ six jours en vase. **Variétés :** o
cultive des variétés à fleurs orange ou blanches, qui ont un cercle violet foncé autour du disqu
central.

Verbena rigida — **verveine à feuille rugueuse**

verbénacées   25-40 cm   juin-octobre   ○ ◨

Origine : Amérique. **Description :** tige dressée à feuilles veloutées et dentées. Petites fleurs en ombelle serrée. **Exigences :** sol perméable, léger, ayant assez d'humidité. **Soins :** planter en pleine terre seulement à mi-mai. **Reproduction :** par semis en caissettes en février ou sur couche en mars, ensuite repiquer en godets. **Utilisation :** parterres colorés, décoration de jardinières et de vasques. En vase, les fleurs restent fraîches environ une semaine. **Variétés :** l'espèce primitive a des feuilles étroites et des fleurs bleu violet.

Viola wittrockiana hybrida (V. tricolor var. *maxima)* — **pensée**

violacées   10-35 cm   mars-novembre   ○ ◐ ◨

Origine : Europe. **Description :** fleur unique au bout d'un long pédoncule. **Exigences :** ne supporte pas le soleil. **Soins :** planter fin août dans les parterres. Couvrir de branches de sapin avant les premières gelées. **Reproduction :** par semis clairsemé sur couche fin juin. **Utilisation :** décoration de jardinières et vasques, massifs fleuris, décorations funéraires. **Variétés :** la grande quantité de variétés est divisée en groupes : *hiemalis*, « Trimardeau variée », « géante de Chalon », « géante de Suisse », « géante Mes Rêves », « géante Idéale Claudia », « géante des Alpes hâtive », « géante d'Aalsmeer », etc. Dans chaque groupe on trouve des fleurs blanches, jaunes, bleues, violettes et parfois bicolores.

Zinnia elegans — **zinnia élégant**

composées   30-120 cm   juillet-septembre   ○ ◨

Origine : Mexique. **Description :** tige rigide à feuilles allongées, ovoïdes, opposées. Fleurs simples ou doubles. **Exigences :** sol riche, arrosage en suffisance et exposition ensoleillée. **Soins :** planter en pleine terre seulement fin mai. On obtient de grandes fleurs en pinçant les tiges secondaires. **Reproduction :** par semis clairsemé sur couche en mars. **Utilisation :** pour parterres, aussi fleur à couper. Les fleurs restent fraîches dix jours en vase. **Variétés :** on a obtenu une grande quantité de variétés par améliorations constantes des espèces (coloris blanc, jaune crème, jaune, rouge, beige, rose, orange, rouge carmin, pourpre et violet). On les divise en groupes selon l'aspect, la forme et la grosseur de la fleur :
• « à fleur de dahlia » : environ 90 cm de haut, capitule ayant jusqu'à 15 cm de large. Les pétales sont recourbés en forme de cuiller.
• « géant de Californie » : aussi 90 cm de haut. Capitule plat ayant jusqu'à 15 cm de large. Les pétales se chevauchent les uns les autres.
• « géant à fleur de cactus » : environ 80 cm de haut. Les pétales sont pointus et enroulés par en-dessous.
• « à fleur de scabieuse » **(4)** : 60 à 80 cm. Capitules de 8 cm de large. Les fleurs sont formées de plusieurs rangées de pétales.
• « Pumila » : 60 à 70 cm de haut, capitules doubles de 7 cm de large, hémisphériques.
• « Lilliput » : seulement 30 à 40 cm de haut, floraison abondante. Capitules de 3 à 5 cm de large, doubles, sur tiges minces mais résistantes.

Les plantes vivaces

Acanthus mollis   acanthe à large feuille

acanthacées   80-100 cm   juillet-août   ○ □

Origine : Dalmatie. **Description :** les feuilles et la fleur de cette plante sont décoratifs. Buisson de feuilles allongées, vertes, bien découpées. Les fleurs tubulaires rose pourpre se présentent en épi. **Exigences :** endroit ensoleillé, sol normal ou lourd. La plante supporte plutôt mieux la sécheresse que l'humidité. **Soins :** planter au printemps ou en automne. Distance entre deux plantes : 60 cm. **Reproduction :** par semis ou division des touffes au printemps ou encore par bouture de racine en hiver. **Utilisation :** en exemplaire isolé ou en petits groupes dans les parties du jardin laissées à l'état naturel. Convient aussi pour rocailles importantes.

Achillea filipendulina   achillée eupatoire

composées   100-150 cm   juillet-septembre   ○ □

Origine : Caucase. **Description :** tige dressée dure, feuilles gris vert, dentées, joliment découpées. Les petits capitules jaunes d'or sont groupés en ombelle plate. **Exigences :** plante sans exigences particulières, un sol léger convient le mieux, ainsi que la sécheresse et le soleil. **Soins :** planter au printemps ou en automne. Distance entre deux plantes : 40 cm. **Reproduction :** par division des touffes au printemps ou en automne, ou bien par boutures au printemps. **Utilisation :** pour plates-bandes herbacées, en groupes isolés, en exemplaire isolé. Convient aussi comme fleur à couper ou à sécher.

Achillea ptarmica   achillée ptarmique

composées   60-70 cm   juillet-septembre   ○ ◪

Origine : Europe, Asie, Amérique du Nord. **Description :** tige dressée à petites feuilles étroites, sciées, vert foncé, portant des fleurs blanches, doubles en ombelle. Les fleurs peuvent avoir 1 à 1,5 cm de large et doivent avoir un tuteur. **Exigences :** terre de jardin, soleil. **Soins :** planter au printemps ou en automne. Distance entre deux plantes : 40 cm. Couper les fleurs fanées. **Reproduction :** par division des touffes ou par boutures au printemps. **Utilisation :** pour plates-bandes herbacées et fleurs à couper. **Variétés :** « Perry's White » (3), robuste, hâtive, haute ; *nanacompacta,* plus courte, plus compacte.

Agapanthus-Headbourne hybryda   agapanthe en ombelle

liliacées   50-120 cm   juillet-août   ○ ◪

Origine : plante résultant du croisement de plusieurs espèces sud-africaines. **Description :** d'une souche tubéreuse vivace poussent des feuilles vert foncé longues et étroites, et s'élève une tige se terminant par de nombreuses petites fleurs en ombelle. **Exigences :** la plante ne peut rester dehors l'hiver que si le climat est doux et qu'elle est bien protégée par des branchages. **Soins :** la plante en pot est placée à mi-mai en plein air, à un endroit ensoleillé du jardin et est replacée en serre froide en automne, avant les premiers gels. **Reproduction :** par division au printemps des touffes des buissons les plus forts. La culture à partir de graines est très lente, les plantes ne fleurissant que trois à six ans plus tard. **Utilisation :** comme plante en pot ou en terre à un endroit abrité ; aussi fleur à couper. **Variétés :** la plupart ont des fleurs bleues

Anemone hupehensis var. *japonica*

anémone du Japon

renonculacées   50-100 cm   août-septembre   ◐ ◪

Origine : Chine. Les variétés sont croisées avec *A. vitifolia*. **Description :** feuilles trilobées, tige modérément ramifiée, grandes fleurs simples ou doubles de coloris blanc, rose ou rouge. **Exigences :** sol humeux, sans calcaire, humidité en suffisance, mi-ombre. **Soins** : planter au printemps. Distance entre deux plantes : 40 à 50 cm. Protéger l'hiver par des branches. **Reproduction :** par boutures de racine au printemps. **Utilisation :** pour endroits mi-ombragés, avec des rhododendrons et des fougères. **Variétés :** « Alice », rose, 100 cm ; « Honorine Jobert », blanc, 100 cm ; « Reine Charlotte », rose, semi-double ; « Le Gouverneur », rouge brillant, semi-double ; « La Fiancée », blanc.

Anemone silvestris

anémone des bois

renonculacées   30-40 cm   mai-juin   ○ ◐ ◪

Origine : de l'Europe à la Sibérie. **Description :** buisson touffu de feuilles palmées. Les fleurs simples, blanc crème, ont des tiges graciles. Plante à souche tubéreuse. **Exigences :** sol sec perméable, un peu calcaire, endroit ensoleillé ou légère pénombre. **Soins :** planter au printemps ou en automne. Distance entre deux plantes : 30 à 40 cm. **Reproduction :** par division des touffes ou par semis. **Utilisation :** pour plates-bandes herbacées, en groupes isolés, dans les jardins de rocailles assez vastes. **Variétés :** à fleurs doubles un peu plus grandes que dans l'espèce primitive.

Aquilegia hybrida

ancolie

renonculacées   30-80 cm   juin-juillet   ○ ◐ ◪

Origine : les variétés proviennent du croisement d'espèces américaines, principalement *A. coerulea*. **Description :** feuilles à lobes arrondis, les tiges dressées portent des fleurs dont les pétales se terminent en éperons et dont les sépales ont souvent un coloris différent.. **Exigences :** sol de jardin avec humidité en suffisance. **Soins :** planter au printemps ou en automne. Distance entre deux plantes : 40 à 50 cm. **Reproduction :** exclusivement au printemps par semis de graines améliorées. **Utilisation :** pour plates-bandes herbacées et en groupes isolés. **Variétés :** « Crimson » (3), rouge à centre blanc ; « Reine des Roses », rose saumon à centre blanc.

Aster amellus

composées   50-70 cm   août-septembre   ○ □ ◪

Origine : de l'Europe à la Sibérie. **Description :** feuilles allongées gris vert, dures, tiges dressées, ramifiées. Fleurs simples roses ou bleu violet. **Exigences :** sol perméable, riche, endroit réchauffé. **Soins :** planter au printemps. Distance entre deux plantes : 40 à 50 cm. Couper les fleurs fanées. **Reproduction :** par semis, les sous-espèces par division des touffes au printemps. **Utilisation :** plates-bandes herbacées, groupes isolés. **Variétés :** « La Vanoise », bleu violacé ; « Lady Hindlip », rose violacé, 60 cm ; « King George », violet à centre jaune d'or ; « Frikarti Wunder von Stafa », violet pâle à centre jaune.

Aster novae bergiae

composées   80-100 cm   septembre-octobre   ○ ◩

Origine : Est de l'Amérique du Nord. **Description :** les feuilles allongées sont lisses, vert foncé, les fleurs simples ou semi-doubles. Coloris blanc, rose, rouge, bleu, violet. **Exigences :** bon sol de jardin, atmosphère humide. **Soins :** planter au printemps. Distance entre deux plantes : 40 à 50 cm. **Reproduction :** par division des touffes au printemps ou par boutures. **Utilisation :** pour plates-bandes herbacées, en groupes isolés. **Variétés :** « White Ladies », blanc, semi-double, 100 cm ; « Perle Anversoise », rose soutenu, 120 cm ; « Marie Ballard », bleu tendre, semi-double, 80 cm ; « Eventide », violet foncé, 100 cm ; « Winston Churchill » **(1)**, rouge éclatant, semi-double, 70 cm.

Aster tongolensis   **aster tongolensis**

composées   40-50 cm   juin-juillet   ○ ◩

Origine : Himalaya. **Description :** rosette de feuilles ovales, vert foncé. Fleurs solitaires au bout d'une tige solide ; elles sont bleues à disque central orange. **Exigences :** sol riche, perméable, humidité en suffisance. **Soins :** planter au printemps ou à la fin de l'été. Distance entre deux plantes : 30 cm. **Reproduction :** par division des touffes au printemps. **Utilisation :** pour jardin de rocailles plus important, en groupes isolés, comme fleur à couper. **Variétés :** à larges pétales bleu violet clair, à pétales étroits bleu violet clair, à pétales bleu foncé (il s'agit dans ce dernier cas d'une plante plus haute, robuste, convenant comme fleur à couper).

Astilbe arendsii hybrida   **astilbe**

saxifragacées   50-80 cm   juillet-septembre   ◑ ● ◩ ■

Origine : les variétés proviennent principalement du croisement des espèces d'Asie orientale, *A.davidii* et *A.astilboides*. **Description :** feuilles à deux ou trois lobes, petites fleurs en panicules doux, plumeux, dans les tons de blanc, rose, violet et rouge. **Exigences :** sol humeux, non alcalin avec humidité suffisante. **Soins :** plantation au printemps. **Utilisation :** pour plates-bandes et groupes isolés à mi-ombre, près de rhododendrons et de fougères. **Variétés :** « Cattleya », violet, 80 cm ; « Diamant », blanc, 80 cm ; « Fanal », rouge foncé, 50 à 60 cm ; « Finale », rose clair, 50 cm.

Campanula glomerata   **campanule à bouquets**

campanulacées   40-60 cm   juin-août   ○ ◑ □ ◩

Origine : de l'Europe au Caucase et à l'Iran. **Description :** tige dressée, non ramifiée à petites feuilles dures, poilues, lancéolées. Fleurs violet foncé en forme de clochettes, verticillées. **Exigences :** plante sans exigence spéciale, supporte l'humidité et la sécheresse. **Soins :** planter au printemps ou en automne. **Utilisation :** pour plates-bandes, en groupes isolés et aussi fleur à couper. **Variétés :** *acaulis,* seulement 20 à 30 cm de haut, ne forme pas de rhizome ; *superba,* fleurs plus grandes, floraison abondante ; *alba,* blanc, environ 40 cm de haut.

Campanula persicaefolia
campanule à feuille de pêche

campanulacées   60-80 cm   juin-juillet   ○ ◑ ◪

Origine : de l'Europe à la Sibérie. **Description :** d'une rosette de feuilles étroites, lancéolées s'élèvent les tiges se terminant en grappes allongées de clochettes bien ouvertes, bleues et blanches. **Exigences :** tout bon sol de jardin. **Soins :** planter au printemps ou en automne. Distance entre deux plantes : 50 cm. **Reproduction :** par division des touffes au printemps ou e automne, aussi par semis hâtif. **Utilisation :** pour plates-bandes, en groupes isolés, auss comme fleur à couper. **Variétés :** *alba,* blanc. Deux variétés doubles, l'une blanche, l'autr bleue, se reproduisent uniquement par division des touffes.

Centaurea dealbata
centaurée dealbata

composées   70-90 cm   juin-juillet   ○ ◌

Origine : Asie mineure, Caucase. **Description :** plante droite à feuilles pennées, veloutées en dessous. Les tiges peu ramifiées portent des capitules rouge carmin clair. **Exigences :** se déve loppe dans tout sol de jardin à un endroit ensoleillé. **Soins :** planter au printemps ou à la fin d l'été. Distance entre deux plantes : 40 à 50 cm. **Reproduction :** par division des touffes a printemps ou à la fin de l'été, après la floraison. **Utilisation :** en groupes isolés, en plates bandes et comme fleur à couper. **Variétés :** on cultive surtout la variété *steenbergii* (2) à fleur rouge carmin foncé, assez grosses.

Chrysanthemum coccineum
pyrèthre

composées   60-80 cm   mai-juillet   ○ ◌

Origine : pentes rocheuses du Caucase. **Description :** les feuilles sont bipennées. Les tiges por tent chacune un capitule de coloris rouge lumineux, rose ou blanc. **Exigences :** bon sol de jar din, humidité en suffisance, soleil. **Soins :** planter au printemps ou en automne. Distanc entre deux plantes : 40 à 50 cm. **Reproduction :** par semis hâtif ou par division des touffes a printemps, ou en automne, notamment pour les variétés doubles. **Utilisation :** pour plates bandes herbacées, surtout comme fleur à couper. Les fleurs se conservent bien. **Variétés** « Régent », rouge lumineux ; « Hamlet », rose foncé, double ; « Alfred », rouge carmin « Yvonne Cayeux » (3), blanc crème.

Chrysanthemum maximum
grande marguerite

composées   50-100 cm   juin-juillet   ○ ◪

Origine : Pyrénées. **Description :** feuilles allongées, dentées, vert foncé. Les tiges portent u capitule simple ou double à disque central jaune. **Exigences :** bon sol de jardin, riche, humi dité en suffisance, endroit ensoleillé. **Soins :** planter au début de l'automne ou au printemps Distance entre deux plantes : 50 à 60 cm. Après deux ou trois années, il faut diviser les touf fes. **Reproduction :** par semis au printemps ; les variétés par division. **Utilisation :** pou plates-bandes herbacées et comme fleur à couper. **Variétés :** « Etoile d'Anvers », simple « Inka » (4), simple, floraison abondante, 50 cm ; « Princesse d'Argent », simple, 30 cm « Reine de Mai », de floraison très précoce ; « Galathée », double.

Chrysanthemum indicum hybrides   **chrysanthème d'automne**

composées   40-100 cm   septembre-décembre   ○ ◪

Origine : trois espèces ont contribué à la création des chrysanthèmes de jardin : *C. indicum,* *C. koreanum* et *C. rubellum.* Par facilité, les chrysanthèmes d'automne sont divisés en grands groupes selon la forme de la fleur et la hauteur de la plante. **Description :** plante droite à tiges ramifiées et feuilles vert foncé, lobées. Les capitules sont simples ou doubles, de coloris différents ou dégradés, dans les tons blanc, rose, rouge, jaune, orange, violet. Ils sont, de même que les asters, les plus importantes plantes vivaces fleurissant en automne. **Exigences :** ces plantes ont des exigences bien marquées. Il leur faut un sol aéré, riche, avec de l'humidité en suffisance et un emplacement abrité, ensoleillé. En hiver, ils demandent plutôt un temps sec et, dans les pays à climat froid, une légère protection de branchages. **Soins :** planter au printemps ou au début de l'automne. Distance entre deux plantes : 40 à 50 cm. Après la floraison, on raccourcit les plantes jusqu'au niveau du sol. **Reproduction :** par division des touffes au printemps ou par boutures, que l'on plante dans le sable en pépinière vitrée. Dès qu'elles ont pris racine, on les met dans des godets où elles restent jusqu'au moment de la plantation en pleine terre. **Utilisation :** pour plates-bandes herbacées et en groupes isolés. Fleur d'automne à couper très intéressante et appréciée. Les fleurs tiennent longtemps en vase. Les variétés à floraison tardive sont parfois abimées (dans les pays à climat vif) par les premières gelées, aussi vaut-il mieux choisir les variétés hâtives ou semi-hâtives. Si les chrysanthèmes sont cultivés comme fleurs à couper, il est préférable de les recouvrir dans les parterres de feuilles de PVC. Cela évite des dégâts causés par le gel et permet aux fleurs de se développer plus facilement. **Variétés :** « Ami Colin », rouge foncé, revers doré ; « Berjaune », jaune citron ; « Excellence », lilas pourpré, revers rose ; « Janas », jaune d'or, revers orange feu ; « Marcel », violet, revers argent ; « Krasavice » (1), rouge brique ; « Ma Tonkinoise », rouge, revers or ; « Siroco », rouge brique, revers abricot ; « Coréen Glorious » (2), coloris vif, rouge, rose ou jaune ; « Poitevine Suprême », blanc pur, fleur duveteuse ; « Soleil d'Armor », jaune citron ; « Rayonnante » (3), rose, pétales en aiguilles ; « Souvenir de Jean Cot », rouge pourpre, revers bronze ; « Ruban Rouge », rouge sang, revers or bronze ; « Gaston Clément », jaune soufre ; « Maman Colliard », pourpre, pointes argent ; « Petite Monique », blanc..

Coreopsis verticillata   **coréopsis verticillé**

composées   50-70 cm   juin-août   ○ ◪ ☐

Origine : Amérique du Nord. **Description :** plante droite, à tiges minces, mais résistantes, feuilles vert clair, très fines. Fleurs simples, jaune clair, poussant en grandes quantités sur la plante, qui fleurit longtemps. **Exigences :** sans aucune exigence, pousse dans tout sol de jardin, supporte la sécheresse, aime le soleil. **Soins :** planter au printemps ou en automne. Distance entre deux plantes : 40 à 50 cm. **Reproduction :** par division des touffes au printemps ou en automne. **Utilisation :** comme élément d'une plate-bande herbacée ou en groupes isolés.

Delphinium hybrides

delphinium, pied d'alouette vivace

renonculacées   130-180 cm   juin-septembre   ○ ◪

Origine : la plus grande partie des variétés ont pour origine le *D. elatum*. **Description :** tige dressée à feuilles palmées se terminant par une longue grappe de fleurs simples ou doubles dans les coloris blanc, bleu ou violet. **Exigences :** bon sol de jardin, riche, humidité en suffisance. **Soins :** planter au printemps ou en automne. Distance entre deux plantes : 60 cm. Couper les fleurs fanées. Arroser par temps sec. **Reproduction :** par division des touffes au printemps ou par boutures au moment où la plante se développe. **Utilisation :** pour plates-bandes, en groupes isolés, et comme fleur à couper. **Variétés :** très riche gamme, par exemple « Blue Bird », bleu clair ; « Guinevère », rose lavande ; « Galahad », blanc ; « King Arthur », violet pourpre.

Dicentra spectabilis

dicentra, diélytra, cœur de Marie

papavéracées   60-80 cm   avril-mai   ◑ ◪

Origine : Asie orientale. **Description :** tige charnue, cassante à feuilles vert pâle, trilobées ; les fleurs roses et blanches garnissent les branches recourbées en arc. **Exigences :** bon sol perméable de jardin, avec humidité en suffisance. **Soins :** planter au printemps. Distance entre deux plantes : 50 à 60 cm. **Reproduction :** par division des touffes au printemps ou par boutures. Pour avoir une bouture, on coupe un morceau de la racine et on le met dans un pot que l'on place sur couche. **Utilisation :** pour plates-bandes herbacées et groupes isolés.

Dictamnus albus

dictamne blanc

rutacées   60-100 cm   mai-juin   ○ ▢

Origine : de l'Europe centrale à l'Asie orientale. **Description :** tige dressée à feuilles gris vert, alternes, pennées. Grappe peu fournie de fleurs roses ou blanches avec veinures sombres. Parfum agréable. **Exigences :** sol calcaire, riche, endroit ensoleillé, sécheresse. **Soins :** planter au printemps ou en automne. Distance entre deux plantes : 50 à 60 cm. **Reproduction :** par graines que l'on sème dès qu'elles sont à maturité. Les jeunes plants se cultivent en pots. **Utilisation :** en plante solitaire ou en groupes isolés dans des parties de jardin laissées à l'état naturel. **Variétés :** *caucasicus,* fleurs rose foncé ; *albus,* à fleurs blanches.

Digitalis purpurea

digitale pourpre

scrophulariacées   80-150 cm   juin-juillet   ○ ◪

Origine : Est de l'Europe. **Description :** d'une rosette de feuilles vert foncé, poilues, ovoïdes et lancéolées, s'élève une tige solide, non ramifiée se terminant en grappe serrée de fleurs rose pourpre. Elles ont la forme d'un doigt de gant. **Exigences :** sol de jardin perméable, humidité suffisante mais pas exagérée. Ne dure en général pas plus de deux ans. **Soins :** planter en automne. Si on coupe les fleurs fanées, la plante refleurit l'année suivante. **Reproduction :** par semis de mai à juin. **Utilisation :** pour plates-bandes herbacées, en groupes isolés et comme fleur à couper. **Variétés :** *gloxiniaeflora,* mélange de fleurs roses, blanches et rouges.

Doronicum columnae

doroni

composées   50-60 cm   mai-juin

○ ◑ ◪

Origine : Sud des Alpes, Balkans, Asie mineure. **Description :** rosette de feuilles cordées pédonculées. Les tiges portent des capitules ayant jusqu'à 7 cm de large, à pétales étroits. **Exi gences :** sol riche et plutôt lourd avec humidité en suffisance, soleil ou mi-ombre. **Soins :** plan ter à la fin de l'été. Distance entre deux plantes : 40 cm. Couper les fleurs fanées. **Reproduc tion :** par division des touffes après la floraison. **Utilisation :** pour plates-bandes herbacées, côté d'autres fleurs printanières. Aussi fleur à couper.

Echinacea purpurea (Rudbeckia purpurea)

rudbeckia pourpre

composées   70-100 cm   juillet-septembre

○ □ ◪

Origine : Amérique du Nord. **Description :** touffe dressée à tiges dures, solides et ramifiées feuilles dentées, lancéolées, poilues. Capitules de ton rose à pourpre, ayant un grand disque central. **Exigences :** pousse le mieux dans un sol perméable, sec, à un endroit ensoleillé **Soins :** planter au printemps ou en automne. Distance entre deux plantes : 50 à 60 cm. **Repro duction :** par semis au printemps ou par division des touffes. **Utilisation :** pour plates-bandes herbacées, mais surtout en groupes isolés et comme fleur à couper. **Variétés :** « Soleil du Soir », rose clair ; « Earliest of All », hâtive ; « The King », à grands capitules pourpre foncé.

Erigeron hybrides

érigéron

composées   50-80 cm   juin-août

○ ◪

Origine : la plupart des variétés sont issues de l'espèce *E. speciosus.* **Description :** plante dres sée à tiges ramifiées. Les feuilles sont allongées, lancéolées, lisses ; les fleurs sont bleues, vio lettes ou roses, à fins pétales. Elles ressemblent aux asters, mais ne sont pas résistantes. **Exi gences :** bon sol de jardin, riche, avec humidité en suffisance, soleil. **Soins :** planter au prin temps. Distance entre deux plantes : 50 à 60 cm. Si on coupe les tiges au bon moment, la plante fleurit une deuxième fois. **Reproduction :** principalement par division des touffes au printemps. **Utilisation :** pour plates-bandes herbacées, en groupes isolés, aussi fleur à couper **Variétés :** « Darkest of All », violet foncé ; « Beauté Rouge » **(3),** rose foncé ; « Dignity », mauve violacé ; « Felicity », rose clair.

Eryngium bourgatii

chardon bleu

ombellifères   30-40 cm   juillet-août

○ □

Origine : Espagne, Pyrénées. **Description :** petit buisson bas à feuilles dures, très découpées ayant des nervures blanches. Les tiges dures se ramifient au sommet et portent des capitules hérissés de piquants et entourés de bractées. **Exigences :** sol léger, plutôt sec, soleil. **Soins** planter au printemps. Distance entre deux plantes : 30 cm. **Reproduction :** par semis au prin temps. Les jeunes plants se cultivent en pots. **Utilisation :** dans les parties du jardin laissées à l'état naturel, notamment dans les endroits à aspect de steppe et dans les grandes rocailles Aussi fleur à couper et à sécher.

Eryngium giganteum

eryngium géant

ombellifères   80-100 cm   juillet-août   ○ □

Origine : Caucase. **Description :** plante bisannuelle, mais elle se resème facilement d'elle-même. D'une rosette de feuilles cordées, dures, de coloris gris vert, s'élève une tige ramifiée, qui porte des capitules entourés de larges bractées piquantes, vert gris. **Exigences :** plante sans exigence spéciale, à part un sol perméable, plutôt sec et une exposition ensoleillée. **Soins :** planter à la fin de l'été. Distance entre deux plantes : 60 cm. **Reproduction :** par semis se faisant le plus rapidement possible après la maturité des graines. Les jeunes plants sont cultivés en pots. **Utilisation :** en groupes isolés. Espèce recommandée pour fleurs à couper et à sécher.

Euphorbia epithymoides (E. polychroma)

euphorbe jaune

euphorbiacées   40-50 cm   juin-juillet   ○ □

Origine : Sud et Est de l'Europe. **Description :** buisson compact, en forme de boule, couvert de petites feuilles ovales, finement duvetées. Les feuilles des extrémités, lesquelles sont en réalité des petites fleurs, se colorent en jaune au moment de la floraison. **Exigences :** sol riche en calcaire, perméable, endroit ensoleillé. **Soins :** planter au printemps ou en automne. Distance entre deux plantes : 50 à 60 cm. Raccourcir les tiges avant l'hiver. **Reproduction :** par division des touffes au printemps ou par boutures après la floraison. **Utilisation :** en exemplaire isolé ou en petits groupes, dans les jardins de rocailles pas trop petits et dans les endroits laissés à l'état naturel.

Filipendula kamtschatica

filipendule du kamtchatka

rosacées   150-200 cm   juillet-août   ○ ○ ◪

Origine : Mandchourie, Kamtchatka. **Description :** plante droite, très décorative à tiges ramifiées et feuilles pennées. Les feuilles sont grandes, cordées, à trois ou cinq lobes. Les fleurs blanches sont petites et se présentent en épis légers. **Exigences :** tout sol de jardin, avec assez d'humidité, emplacement au soleil ou à la mi-ombre. **Soins :** planter au printemps ou en automne. Distance entre deux plantes : 80 à 100 cm. **Reproduction :** par division des touffes au printemps ou par boutures. **Utilisation :** dans les grands jardins et les parcs, en groupes isolés. **Variétés :** *rosea* (3), rose.

Filipendula rubra

spirée

rosacées   100-150 cm   juin-juillet   ○ ○ □

Origine : Amérique du Nord. **Description :** les plantes dressées ont des feuilles pennées plus petites aux extrémités des tiges. Les petites fleurs roses ou rouges se présentent en larges épis. Parfum très pénétrant. **Exigences :** se développe dans tout sol de jardin, avec de l'humidité en suffisance et une exposition au soleil ou à la mi-ombre. **Soins :** planter au printemps. Distance entre deux plantes : 60 à 80 cm. **Reproduction :** par boutures ou par division. **Utilisation :** pour plates-bandes herbacées, surtout en groupes isolés. **Variétés :** *venusta,* rose foncé ; *venusta magnifica* (4), à grandes fleurs rose carmin.

Filipendula ulmaria

reine des prés

rosacées   100-150 cm   juin-septembre   ◑ ▰

Origine : Europe, Asie. **Description :** plante dressée, légèrement ramifiée à feuilles pennées vert foncé. Les petites fleurs blanc crème se présentent en cymes légers. Se développe à l'état sauvage dans les forêts, surtout aux endroits humides. **Exigences :** plante sans exigences, qui pousse dans tout sol suffisamment humide. **Soins :** planter au printemps ou en automne. Distance entre deux plantes : 50 à 60 cm. **Reproduction :** par division des touffes à n'importe quel moment. **Utilisation :** surtout dans les endroits laissés à l'état naturel, près des ruisseaux et à la mi-ombre. Aussi fleur à couper. **Variétés :** *plena,* double.

Gaillardia aristata

gaillarde vivace

composées   40-70 cm   juin-septembre   ◯ ▱

Origine : Amérique du Nord et centrale. **Description :** rosette de feuilles larges, lancéolées, lisses ou à peine dentées. Toute la plante est velue. Les tiges ramifiées portent des capitules à disque central sombre et pétales frangés. Selon les variétés, les fleurs sont rouge orange, orange foncé ou rouge bordeaux. Les espèces hautes ne sont pas très résistantes. Les gaillardes sont des vivaces qui ne durent que deux ou trois années. **Exigences :** bonne terre de jardin, perméable, plutôt sèche qu'humide, endroit ensoleillé. **Soins :** planter de la fin de l'été jusqu'au début de l'automne, pour que la plante s'enracine bien avant l'hiver. Distance entre deux plantes 40 à 60 cm selon la variété. On prolonge la vitalité de la plante en coupant les fleurs fanées. **Reproduction :** principalement par semis de graines améliorées. Semis en mai sur couche, planter en pleine terre en septembre. **Utilisation :** les espèces hautes pour plates-bandes herbacées et fleurs à couper, les espèces courtes pour bordures et groupes isolés. **Variétés :** « Bremen », rouge et jaune, 60 à 70 cm de haut ; « Bourgogne » **(2)**, rouge bordeaux foncé, 60 à 70 cm de haut ; « Chloé », jaune ; « Saturne » **(3)**, rouge orangé, auréole jaune, plante courte, 30 à 40 cm de haut, en forme de boule.

Galega officinalis

galéga, rue des chèvres

légumineuses   80-120 cm   juillet-août   ◯ ▰

Origine : Italie, des Balkans à l'Asie mineure. **Description :** tiges dures, à feuilles alternes et pennées. Fleurs bleues ou violettes en grappes. La plante fleurit avec abondance et longtemps. **Exigences :** se développe le mieux dans une terre profonde avec de l'humidité en suffisance, avec une préférence pour un emplacement bien ensoleillé. **Soins :** planter au printemps ou en automne. Distance entre deux plantes : 60 cm. **Reproduction :** par semis ou par division des touffes. **Utilisation :** dans les endroits des parcs et des jardins laissés à l'état naturel. **Variétés** *albiflora* blanc, plante compacte et courte ; *plena* double ; « Geere Hartland » **(4)**, bleu violet à bords clairs.

Geranium platypetalum

géraniacées   50-60 cm   juin-août   ○ ◑ ☐

Origine : du Caucase jusqu'en Iran. **Description :** plante dressée, couverte d'un fin duvet. Feuilles palmées, molles. Les grandes fleurs sont bleu violet. En automne, les feuilles se colorent en orange et en rouge. **Exigences :** sol de jardin perméable ; la plante supporte bien la sécheresse, aime le soleil mais se développe aussi à la mi-ombre. **Soins :** planter au printemps ou au début de l'automne. Distance entre deux plantes : 40 à 50 cm. **Reproduction :** par division des touffes au printemps. **Utilisation :** vivace couverte de fleurs, la plante convient bien pour plates-bandes et groupes isolés.

Geum coccineum   **benoîte écarlate**

rosacées   40-50 cm   juin-juillet   ○ ☐ ◪

Origine : pentes rocheuses du Caucase et des Balkans. **Description :** d'une rosette de feuilles poussent des tiges se terminant par une fleur d'un rouge brique lumineux. **Exigences :** plante sans exigences, se développant dans un sol perméable, pas trop humide. Elle supporte très bien la sécheresse. **Soins :** planter au printemps ou en automne. Distance entre deux plantes 30 à 40 cm. **Reproduction :** par semis au printemps ou par division des touffes au printemps ou en automne. **Utilisation :** pour plates-bandes herbacées ou en groupes isolés, là où le coloris très marqué des benoîtes est mis en évidence.

Gypsophila paniculata   **gypsophile paniculé**

caryophyllacées   60-100 cm   juin-août   ○ ☐

Origine : Sud de l'Europe. **Description :** racines importantes qui s'enfoncent profondément dans le sol. Tiges fragiles, petites feuilles vert gris, étroites à la base de la plante. Floraison abondante de petites fleurs blanches. **Exigences :** plante aimant la sécheresse. Sol perméable et emplacement ensoleillé. **Soins :** planter au printemps. Distance entre deux plantes : 80 à 100 cm. Raccourcir les tiges en automne. **Reproduction :** l'espèce primitive par semis au printemps, les espèces doubles par greffe. **Utilisation :** en exemplaire isolé au milieu de grands groupes, dans des endroits laissés à l'état naturel. Jolie fleur à couper. **Variétés :** « Flamingo », fleurs plus grosses, doubles, roses ; « Bristol Fairy », fleurs doubles, blanches « Voile Rose », simple, rose.

Helenium hybrides   **hélénium**

composées   70-120 cm   juillet-octobre   ○

Origine : la plus grande partie des sous-espèces ont été créées à partir de *H. autumnale*. **Description :** plante dressée, à feuilles allongées, lancéolées. Les capitules ont un disque central presque rond et de larges pétales dans les coloris jaune à orange bronzé. **Exigences :** sol de jardin avec humidité en suffisance et aussi du soleil. **Soins :** planter au printemps. Distance entre deux plantes : 50 à 60 cm. Raccourcir les tiges après la floraison. **Reproduction :** par division des touffes au printemps. **Utilisation :** pour plates-bandes herbacées et fleurs à couper. **Variétés :** il en existe beaucoup, par exemple *pumilum magnificum,* jaune d'or ; « Autumnal Beauty », jaune bronzé ; « Goldlackzwerg », rouge brun et or ; « Windley » **(4),** rouge cuivré.

Helianthus decapetalus   **soleil**

composées   100-150 cm   août-octobre   ○ ◪

Origine : Amérique du Nord. **Description :** plantes à rhizomes charnus et robustes. Tiges dressées, rigides, à petites feuilles minces, rudes, ovoïdes. Grands capitules à disque central jaune et larges pétales jaune d'or. **Exigences :** sol de jardin profond, riche, soleil nécessaire. **Soins :** planter en automne ou au printemps. Distance entre deux plantes : 50 à 60 cm. Raccourcir les tiges après la floraison. **Reproduction :** par division des touffes principalement au printemps. **Utilisation :** pour plates-bandes herbacées, en groupes isolés, aussi comme fleur à couper. **Variétés :** « Golden Ball », double, jaune ; « Météore », semi-double, à larges pétales ; « Soleil d'Or », grands capitules jaune foncé.

Helianthus salicifolius   **orgyalis**

composées   250-300 cm   septembre-octobre   ○ ◪

Origine : Amérique du Nord. **Description :** longues tiges épaisses, couvertes sur toute leur hauteur de feuilles retombantes, longues et étroites. Les capitules simples se présentent en épi à l'extrémité des tiges. L'effet décoratif de la plante résulte de sa forme et de son feuillage. **Exigences :** bon bol de jardin perméable avec de l'humidité en suffisance et du soleil. **Soins :** planter au printemps ou en automne. Distance entre deux plantes : 80 cm. Raccourcir les tiges avant l'hiver. **Reproduction :** par division des touffes au printemps. **Utilisation :** comme plante décorative disposée en petits groupes.

Heliopsis helianthoides   **laevis**

composées   100-150 cm   juillet-septembre   ○ ☐

Origine : Amérique du Nord. **Description :** plante dressée, se ramifiant modérément au sommet. Les feuilles opposées sont lancéolées, à bords dentés, les capitules jaunes sont simples ou semi-doubles et ressemblent aux soleils. **Exigences :** se développe dans tout bon sol de jardin s'il n'y a pas excès d'humidité. Endroit ensoleillé. **Soins :** planter au printemps ou en automne. Distance entre deux plantes : 50 à 60 cm. Raccourcir les tiges après floraison. **Reproduction :** par semis au printemps, ou par division des touffes (cette dernière méthode ne concerne que les variétés horticoles). **Utilisation :** pour plates-bandes herbacées et comme fleur à couper. **Variétés :** *scabra patula,* capitules semi-doubles ; « Major », capitules semi-doubles, plante plus haute.

Helleborus niger   **hellébore, rose de Noël**

renonculacées   50 cm   décembre-mars   ◕ ☐

Origine : Alpes orientales et Balkans. **Description :** les feuilles persistantes sont dures, vert foncé, découpées en lobes allongés. Les grandes fleurs simples s'élèvent au bout des tiges peu ramifiées. Elles sont blanches dans l'espèce primitive. **Exigences :** sol humeux, aéré, avec suffisamment d'humidité et de calcaire. Endroit mi-ombragé. **Soins :** planter au printemps ou au début de l'automne. Distance entre deux plantes : 30 à 40 cm. Arroser par temps sec. **Reproduction :** par semis dès que les graines sont récoltées, aussi par division des touffes. **Utilisation :** dans les massifs de fleurs printanières en exposition mi-ombragée, aussi dans les rocailles. **Variétés :** *praecox,* très hâtive, blanche ; *rosea,* rose pâle.

Hemerocallis hybrida

hémérocalle

liliacées   60-120 cm   mai-août   ○ ◪

Origine : on cultive dans les jardins les variétés horticoles issues du croisement des espèces primitives. Celles-ci sont originaires de l'Asie de l'Est. **Description :** racines charnues, souvent pivotantes, feuilles étroites, rubannées. Les plantes ont l'aspect d'une graminée robuste et sont décoratives même en dehors de la période de floraison. Les fleurs en forme d'entonnoir ont 6 pétales. La tige se ramifie au sommet et porte de nombreux boutons floraux qui s'ouvrent les uns après les autres. Chaque fleur a une floraison très courte, à peine un jour en général, mais il en fleurit toujours de nouvelles, si bien que la durée de la floraison de la plante s'étend sur 5 à 6 semaines. Pour l'espèce primitive, les coloris se limitent à des dégradés de tons, du jaune à l'orange. Le choix parmi les variétés est devenu très étendu grâce aux horticulteurs et comprend des sous-espèces dans des coloris qui n'existaient pas auparavant, tels que le rose, le rouge et le violet. Les fleurs ont en plus une couleur différente à la base, et les pétales sont garnis de lignes de tons contrastants. Les pétales de quelques espèces sont ondulés sur les bords. **Exigences :** ces plantes sont exigentes ; elles se développent le mieux dans un bon sol de jardin, perméable, et à un endroit ensoleillé. Elles supportent mieux la sécheresse que l'excès d'humidité. Elles croissent aussi à la mi-ombre, mais fleurissent alors avec moins d'abondance. **Soins :** la meilleure époque pour planter est le printemps, bien qu'on puisse aussi le faire après la période de la floraison. Distance entre deux plantes : 60 à 70 cm. Après trois ou quatre ans, il est recommandé de diviser les touffes et de les planter séparément. La plante apprécie de temps en temps de l'engrais dilué dans l'eau. Couper les fleurs fanées **Reproduction :** les hémérocalles de jardin se reproduisent uniquement de façon végétative c'est-à-dire par division des touffes au printemps. La reproduction par semis est aussi possible, mais on obtient des plantes à caractéristiques différentes. **Utilisation :** pour plates-bandes herbacées, mais c'est en groupes isolés qu'elles présentent le mieux. Leur effet est très décoratif près d'une étendue d'eau, mais il ne faut pas oublier que ces plantes n'aiment pas l'humidité. **Variétés :** parmi les espèces primitives, on cultive les plantes suivantes : *H. citrina,* 80 à 120 cm de haut, floraison en juillet-août, longues fleurs en entonnoir jaune citron ; *H. fulva,* 90 à 120 cm de haut, floraison en juillet-août, larges feuilles, fleurs jaune orangé à dessin rouge près de la base ; *H. middendorfii,* 60 à 70 cm de haut, floraison en mai-juin, fleurs orange. Parmi les variétés, il faut citer : « Alan », 70 à 90 cm de haut, semi-hâtive, fleurs rouge vif, jaunes à la base ; « Atlas » **(1)**, 100 cm de haut, semi-hâtive, fleurs jaune vert « Corky », 75 cm de haut, semi-hâtive, fleurs plus petites d'un jaune soutenu ; « Crimson Glory », 100 cm, semi-hâtive, fleurs rouge carmin, jaunes à la base ; « Crimson Pirate » **(2)**, 70 à 80 cm, semi-hâtive, fleurs rouge foncé, orange à la base avec trace foncé ; « Earliana », 90 cm, très hâtive, fleurs jaunes ; « Frans Hals » **(3)**, 70 cm, semi-hâtive, fleurs largement ouvertes à pétales internes rouges, externes orange clair ; « Golden Scepter » **(4)**, 80 à 90 cm de haut, hâtive, pétales externes orange, internes rouge brun ; «Pink Damask », 80 cm, semi-hâtive, pétales roses à base vert jaune ; « Resplendent », 100 cm, semi-hâtive, fleurs rouge brun à pétales jaunes ; « Sammy Russel », 60 cm, semi-hâtive, fleurs rouge brun à base orange, et beaucoup d'autres encore.

Heracleum stevenii

berce

ombellifères   200-300 cm   juillet   ○ ◑ ◪

Origine : Caucase. **Description :** plante bisannuelle robuste et imposante. Les feuilles gigantesques, qui peuvent avoir jusqu'à 1 m de haut, sont palmées, très découpées. La tige épaisse et creuse se ramifie au sommet et se termine en ombelle de 60 cm de large, formée de petites fleurs blanches. L'ombelle principale est entourée d'ombelles plus petites. **Exigences :** la plante se développe partout, mais surtout dans un sol humide. **Soins :** planter au printemps ou en automne. Distance entre deux plantes : 150 à 180 cm. Couper les fleurs fanées, pour que la plante ne s'élargisse pas trop. **Reproduction :** par semis en pots, sitôt faite la récolte des graines, aussi par semis directement en place. **Utilisation :** dans les grands jardins ou les parcs

---

Heuchera sanguinea

heuchère

saxifragacées   40-60 cm   mai-juillet   ○ ◑ ◰

Origine : Amérique du Nord. **Description :** d'une rosette de feuilles vert foncé, cordées, s'élèvent des tiges sans feuille, qui se terminent par un épi léger de petites fleurs roses ou rouges. Elles ont la forme de clochettes. **Exigences :** bon sol de jardin avec de l'humidité en suffisance, emplacement à la mi-ombre, mais la plante supporte aussi le soleil. **Soins :** planter au printemps. Distance entre deux plantes : 30 à 40 cm. **Utilisation :** pour plates-bandes herbacées, en groupes isolés, dans les jardins de rocailles pas trop petits, et aussi comme fleur à couper. **Variétés :** « Gracillima », petites fleurs roses ; « Red Spangles », fleurs en grappes.

Hosta sieboldiana

funkia

liliacées   40-50 cm   juin-juillet   ○ ◑ ◰

Origine : Japon. **Description :** plante luxuriante à grandes feuilles cordées, qui peuvent avoir jusqu'à 30 cm de long. Elles sont de coloris gris vert et cerclées de bleu sur le dessus ; les nervures sont très apparentes. Les fleurs en forme d'entonnoir sont violet clair. Elles se présentent en grappes au bout d'une tige courte, presque au niveau des feuilles. Ce sont les feuilles qui forment l'élément décoratif de la plante. **Exigences :** sol calcaire, perméable, riche, avec de l'humidité en suffisance. La plante préfère la mi-ombre, mais supporte aussi le soleil. **Soins :** planter au printemps ou en automne. Distance entre deux plantes : 50 à 60 cm. **Reproduction :** par division des touffes au printemps ou en automne. **Utilisation :** dans des endroits laissés à l'état naturel et situés à la mi-ombre, ou bien près d'une étendue d'eau. **Variétés :** *elegans,* feuilles particulièrement belles.

Incarvillea delavayi

incarvillée

bignoniacées   50-60 cm   juin-juillet   ○ ◑ ◰

Origine : Ouest de la Chine. **Description :** les feuilles vert foncé sont alternes, pennées, à bords dentés. La tige solide se termine par une grappe de trois à dix fleurs rose foncé, à gorge jaunâtre. Les fleurs en forme de clochettes ont des pétales à larges bords. Les racines sont charnues, blanches et ramifiées. **Exigences :** sol riche, perméable, avec suffisamment de calcaire et d'humidité. Endroit ensoleillé ou mi-ombragé. **Soins :** planter au printemps, à 8 cm au moins de profondeur. Distance entre deux plantes : 50 cm. **Reproduction :** par semis au printemps. **Utilisation :** pour plates-bandes herbacées ou en groupes.

Iris barbata hybrida

iris des jardins

iridacées   50-100 cm   mai-juillet   ○ □ ◩

Origine : les espèces primitives botaniques d'iris ne sont pour ainsi dire plus cultivées dans le jardins. Elles ont été remplacées par des variétés dont le nombre se chiffre aujourd'hui pa milliers. Beaucoup d'horticulteurs s'intéressent spécialement aux iris, c'est pourquoi de nou velles variétés apparaissent régulièrement dans le commerce. L'intérêt manifesté pour les iri va toujours en croissant, et il en est de même en ce qui concerne les prix des nouvelles variétés Ce sont les horticulteurs américains qui ont sans conteste contribué le plus à accroître leu nombre. **Description :** d'un rhizome charnu planté en terre, s'élève une touffe de feuilles e forme de glaive. Les tiges solides, à peine ramifiées portent les fleurs dont l'ovaire est tout à fait caché par les pétales. Les six pétales sont groupés trois par trois. Les trois pétales externe sont souvent plus grands ; ils sont largement ouverts ou retombants. Les trois pétales interne se tiennent dressés et sont souvent plus petits. A l'intérieur des pétales externes, on trouve de poils en forme de petite barbe. Chez certaines espèces, cette barbe est d'une couleur jaune o orange très marquée. Selon la hauteur de la plante, on divise les iris en trois groupes : les espè ces basses, de 15 à 30 cm de haut, font partie du groupe « Nana » ; le groupe « Media » com prend les espèces de 45 à 65 cm de haut et le groupe « Elatior » toutes les espèces encore plu hautes. Appartiennent aussi à ce dernier groupe les espèces diploïdes dont les fleurs sont plu petites et d'un intérêt moindre, et également les espèces tétraploïdes qui se caractérisent par d grandes fleurs aux coloris merveilleux, mais à la floraison moins abondante. **Exigences :** le iris doivent avoir un bon sol riche, perméable et sans trop d'humidité. L'emplacement doi être réchauffé et ensoleillé. Ils apprécient de temps en temps de l'engrais complet dilué dans d l'eau. Si elles reçoivent un excès d'engrais azoté et souffrent d'un excès d'humidité et d'u emplacement trop ombragé, les plantes sont sujettes à différentes maladies. **Soins :** planter a printemps ou à la fin de l'été. Distance entre deux plantes : 30 à 50 cm. Les rhizomes ne doi vent pas être plantés trop en profondeur ; l'endroit idéal se situe juste en-dessous de la surfac de la terre. Après deux ou trois ans, il est recommandé de diviser les touffes et de les plante séparément. Il faut améliorer le sol en y ajoutant du bon compost bien décomposé. **Reproduc tion :** par division des touffes, le meilleur moment pour le faire étant le mois d'août. Pou diviser une touffe, on sépare du rhizome des morceaux munis chacun de quelques feuilles
Variétés :
• parmi le groupe « Nana » on peut citer les variétés suivantes : « Bright White », 15 à 25 cm de haut, blanc pur ; « Cyanea », 15-20 cm de haut, bleu violet foncé ; « Path of Gold », 20 25 cm, jaune d'or.
• parmi le groupe « Media » : « Alaskan Gold », 50 à 60 cm de haut, jaune d'or tirant su l'orange ; « Cloud Fluff », 40 cm, blanc pur à bords ondulés ; « Marine Wave », 45 à 55 cm bleu foncé.
• parmi le groupe « Elatior », il faut citer : « Burlesque », 100 cm, rouge grenat et jaun d'or ; « Cliffs of Dover » **(1)**, 80 à 100 cm, blanc pur à bords ondulés ; « Député Nomblot » 100 cm, amarante cuivré ; « Favori », 100 cm, violet magenta ; « Paulette » **(2)**, 100 cm bleu ciel ; « Kingdom » **(3)**, jaune ; « Jean Cayeux », 100 cm, havane doré ; « Ola Kala » 100 à 110 cm, jaune d'or ; « Olympio Star » **(4)**, pourpre avec une trace de rose ; « Pail lasse », 80 cm, jaune d'or nuancé lilas ; « Sable », 80 à 90 cm, violet foncé ; « Pinacle » 90 cm, fleur bicolore jaune et blanche ; « Séduction », 80 cm, blanc rosé piqueté lilas.

Iris bucharica

iris de Boukhara

iridacées   40-60 cm   mars-avril   ○ □

Origine : régions méridionales de l'Asie centrale. **Description** : d'un bulbe à racines charnues s'élève une tige robuste garnie de grandes feuilles alternes, assez larges, presque cylindriques. Les pétales internes de la fleur sont blancs, les pétales externes, jaunes à bords tachés de vert foncé. Après la floraison, la plante entre dans une période de repos. **Exigences** : sol perméable, riche, soleil et chaleur. **Soins** : planter au printemps ou en automne. Distance entre deux plantes : 30 à 40 cm. **Reproduction** : assez facilement par semis, aussi par division des souches, mais il faut veiller à ne pas abîmer les racines charnues. **Utilisation** : dans les grands jardins de rocailles et dans les jardins à aspect de steppe.

Iris carthaliniae

iridacées   100-150 cm   juin   ○ ◪

Origine : Est du Caucase. **Description** : plante robuste à larges feuilles gris vert, qui peuvent avoir 3 cm de large. Chaque tige porte environ 5 fleurs, qui atteignent 11 cm environ de large. **Exigences** : plante sans beaucoup d'exigences. **Soins** : il faut laisser la plante au même endroit pendant plusieurs années, autrement la floraison n'est pas satisfaisante. **Reproduction** : par division des touffes au printemps ou en automne. Aussi par semis qui lèvent facilement. **Utilisation** : pour massifs, comme garniture entre des vivaces courtes formant tapis, en exemplaires isolés répartis sur une pelouse, aussi comme fleurs à couper, car elles restent longtemps fraîches en vase. **Variétés** : l'espèce primitive a des fleurs bleues avec une rayure centrale jaune d'or et des marbrures blanches.

Iris pallida

iridacées   80-100 cm   juin   ○ □

Origine : Sud de l'Europe. **Description** : d'un rhizome charnu s'élèvent de longues feuilles en forme de glaive. Les grandes fleurs bleu violet ont un parfum agréable. On cultive aussi dans les jardins l'espèce à feuilles bigarrées. Celles-ci ont de longues rayures jaunes. **Exigences** : sol plutôt argileux et sec, endroit ensoleillé. **Soins** : planter au printemps ou à la fin de l'été. Distance entre deux plantes : 40 cm. **Reproduction** : par division des rhizomes au printemps ou après la floraison. **Utilisation** : en groupes isolés et près d'une étendue d'eau. **Variétés** : on cultive souvent la variété *variegata* à feuilles rayées de jaune.

Iris sibirica

iris de Sibérie

iridacées   60-100 cm   juin   ○ □ ◪

Origine : de l'Europe centrale à la Sibérie. **Description** : touffe de longues feuilles étroites dépassées en hauteur par les tiges minces qui portent chacune deux ou trois fleurs. Les pétales internes sont plutôt petits, pointus, dressés, les pétales externes sont plus larges, retombants, avec des veinures très marquées. Les fleurs sont bleues, violettes ou blanches. **Exigences** : sol de jardin avec de l'humidité en suffisance, la plante supporte aussi la sécheresse et préfère un endroit bien dégagé. **Soins** : planter au printemps ou en automne. Distance entre deux plantes : 40 à 50 cm. **Reproduction** : par division des souches au printemps ou à la fin de l'été. **Utilisation** : dans les endroits laissés à l'état naturel et près des étendues d'eau.

Kniphofia hybrida

tritoma, faux aloès

liliacées   60-100 cm   juin-octobre   ○ ◨

Origine : on cultive le plus souvent des variétés issues d'un croisement d'espèces originaires d'Afrique du Sud. **Description :** racines de couleur jaune, à grand développement. D'une rosette de feuilles étroites, de coloris vert foncé, s'élève une hampe florale se terminant par un épi de fleurs allant du jaune orangé au rouge vif. **Exigences :** terrain perméable, riche. **Soins :** planter au printemps. Distance entre deux plantes : 50 à 60 cm. **Reproduction :** par division des touffes, de préférence au printemps. **Utilisation :** pour plates-bandes herbacées, en groupes isolés à proximité de pièces d'eau. Aussi comme fleur à couper. **Variétés :** « Alkazar », rouge orangé ; « Bess Yellow », jaune canari ; « Express », rouge orange vif ; « Earliest of All », orange et jaune ; et d'autres encore.

Lathyrus latifolius

pois vivace, gesse

papilionacées   100-200 cm   juin-août   ○ ☐

Origine : Sud de l'Europe. **Description :** racines importantes, charnues, longues tiges retombantes, à vrilles s'accrochant aux tuteurs. Feuilles pennées, opposées. Les fleurs roses, rouges ou blanches, sont portées par un long pédoncule. **Exigences :** presque tous les sols conviennent. **Soins :** planter au printemps, ou en automne. Distance entre deux plantes : 100 à 150 cm. **Reproduction :** par graines, semis au printemps. **Utilisation :** décoration de murs, de clôtures, de tonnelles.

Liatris spicata

liatris, plume du Kansas

composées   60-100 cm   juillet-septembre   ○ ◨

Origine : Amérique du Nord. **Description :** des tubercules ronds et aplatis plantés dans le sol s'élèvent plusieurs tiges feuillues, qui se terminent par de longs épis garnis de petites fleurs rose pourpre, fleurissant de haut en bas. Feuilles vert foncé, étroites. **Exigences :** tout sol non mal convient. Exposition ensoleillée. **Soins :** planter au printemps ou au début de l'automne. Distance entre deux plantes : 30 à 40 cm. **Reproduction :** par division des touffes au printemps, ou principalement par graines, semis au printemps. **Utilisation :** dans les plates-bandes herbacées ou en groupes isolés. Fleur à couper très ornementale, peut aussi être séchée. **Variétés :** « Cobold », plus courte, seulement 40 à 50 cm de haut.

Ligularia dentata

ligulaire d'or

composées   100-150 cm   août-septembre   ◖ ◨

Origine : Japon et Chine. **Description :** plante robuste, à tige droite se ramifiant au sommet. Grandes feuilles cordées, fixées à un pédoncule. Nombreuses fleurs de coloris jaune à jaune orangé, aux longs pétales étroits. **Exigences :** sol humeux, endroit plutôt humide. **Soins :** planter au printemps ou en automne. Distance entre deux plantes : 60 à 80 cm. Arroser par temps sec. **Reproduction :** par division des touffes au printemps ou en automne. **Utilisation :** dans les grands jardins ou dans les parcs, en groupes isolés dans des endroits mi-ombragés. **Variétés :** « Orange Queen », à grandes fleurs jaune orange ; « Desdemona », plante plus petite, fleurs orange, feuilles vert foncé.

Limonium latifolium

statice latifolia, lavande de mer

plombaginacées   60 cm   mai-juillet   ○ □

Origine : Bulgarie, Sud de la Russie. **Description :** d'une touffe de feuilles duveteuses, d'environ 20 cm de longueur, s'élèvent les tiges florales assez ramifiées, portant de petites fleurs bleu-gris. **Exigences :** sol perméable, calcaire, bien drainé, endroit ensoleillé. **Soins :** planter au printemps ou en automne. Distance entre deux plantes : 60 cm. **Reproduction :** exclusivement par graines, semis au printemps. **Utilisation :** dans des endroits secs. Aussi comme fleur à couper ou à sécher. **Variété :** « Violetta », à fleurs bleu foncé.

Linum perenne

lin vivace

linacées   40-60 cm   juin-août   ○ □

Origine : zone septentrionale tempérée. **Description :** tiges droites et minces, couvertes de petites feuilles pointues se terminant par des fleurs simples de coloris bleu ciel, qui fleurissent l'une après l'autre. Floraison d'assez longue durée. **Exigences :** sol léger, même pauvre, endroit ensoleillé. La longévité ne dépasse pas trois ou quatre ans. **Soins :** planter au printemps ou au début de l'automne. Distance entre deux plantes : 40 cm. **Reproduction :** par semis au printemps. **Utilisation :** dans les plates-bandes herbacées, et en groupes isolés. **Variété :** « Six Hills », à fleurs plus grosses et bleu foncé..

Lupinus polyphyllus hybrides

lupin polyphylle

papilionacées   100-120 cm   juin-août   ○ ◪

Origine : les lupins polyphylles proviennent du croisement de quelques espèces d'Amérique du Nord. Ils se distinguent par leurs coloris vifs et leur port élégant. Ils sont appelés hybrides de Russel d'après le nom de l'horticulteur anglais qui les créa. **Description :** plantes robustes, à feuillage palmé. Les tiges épaisses et creuses se terminent par des fleurs réunies en épis coniques (plusieurs coloris) ; certaines fleurs sont même bicolores. **Exigences :** ils croissent en terre riche, profonde, pas trop calcaire, et préfèrent une certaine humidité et une exposition ensoleillée. Dans les sols légers et sableux, la longévité est plus courte. **Soins :** planter au printemps ou en automne. Distance entre deux plantes : 60 à 80 cm. En supprimant les fleurs fanées, on obtient une nouvelle floraison. **Reproduction :** les espèces d'origine anglaise se reproduisent par des boutures qui ont hiverné en serre. Ces boutures comportent un morceau de la racine mère. Des substances de croissance stimulent la formation des racines. Actuellement, il est possible de reproduire le lupin (tout en conservant les couleurs originales) par semis. Semer au printemps, dans des pots. **Utilisation :** fleurs très décoratives pour plates-bandes herbacées ou en groupes isolés. Aussi comme fleur à couper. **Variétés :** reproduction par semis : « La Châtelaine », rose tendre et blanc ; «La Demoiselle», blanc crème ; « Le Chandelier » (3), jaune d'or ; « Mon Château », rouge brique. Reproduction par bouturage : « Golden Queen », jaune ; « Les Pages » (4), rouge carmin ; « Rita », rouge ; « Le Gentilhomme », bleu outremer et blanc. Il existe encore beaucoup d'autres variétés.

Lychnis chalcedonica

lychnis croix de Jérusalem

caryophyllacées   80-100 cm   juin-juillet   ○ □ ◪

Origine : de l'Ukraine à la Sibérie. **Description** : les tiges sont épaisses, sans ramification, couvertes de feuilles lancéolées, velues et elles se terminent par un bouquet serré de fleurs rouge vermillon. **Exigences** : plante sans beaucoup d'exigences, elle se développe dans tout sol de jardin, supporte la sécheresse et aime le soleil. **Soins** : planter au printemps ou en automne. Distance entre deux plantes : 50 à 60 cm. Raccourcir les tiges après la floraison, la plante refleurit souvent une deuxième fois. **Reproduction** : par division des touffes au printemps ou en automne. Aussi reproduction facile par semis hâtifs. **Utilisation** : pour plates-bandes herbacées et comme fleur à couper.

Lychnis viscaria

caryophyllacées   30-40 cm   mai-juin   ○ ◪

Origine : Europe, du Caucase à la Sibérie. **Description** : on cultive surtout la variété double. La tige d'aspect collant s'élève d'une rosette de feuilles étroites vert foncé et se termine par une grappe de fleurs doubles d'un rouge carmin lumineux. **Exigences** : bon sol de jardin avec de l'humidité en suffisance et du soleil. La plante ne supporte pas un excès d'humidité. **Soins** : planter au printemps ou à la fin de l'été. Distance entre deux plantes : 30 à 40 cm. Il convient de diviser les touffes après trois ans. **Reproduction** : par division des touffes après la floraison. **Utilisation** : dans les grandes rocailles, pour plates-bandes herbacées et en groupes isolés. **Variétés** : on cultive surtout la variété *splendens plena*.

Monarda hybrida

monarde

labiées   70-120 cm   juillet-septembre   ○ □

Origine : on ne cultive aujourd'hui dans les jardins que les variétés provenant du croisement d'espèces nord-américaines (principalement *M. didyma* et *M. fistulosa).* **Description** : plante dressée à tiges ramifiées, apparaissant carrées en coupe transversale. Les feuilles opposées sont lancéolées, ovoïdes, dentées et velues. Les pétales de forme spéciale sont garnis de longs stigmates retombants et se présentent en pompon serré au sommet des tiges. La plante a un parfum agréable. **Exigences** : sol perméable, riche, emplacement réchauffé et ensoleillé. **Soins** : planter au printemps ou en automne. Distance entre deux plantes : 60 cm. **Reproduction** : principalement par division des touffes au printemps ou en automne, aussi par boutures faites au printemps. **Utilisation** : convient très bien pour les plates-bandes herbacées et les endroits laissés à l'état naturel, où leur coloris lumineux est du plus joli effet. Fleurs à couper appréciées, car elles tiennent longtemps en vase. **Variétés** : « Cambridge Scarlet », fleurs rose écarlate à rouge vermillon, hauteur plus restreinte, 80 à 100 cm ; « Croftway Pink » **(3)**, rose, de hauteur plus élevée, 120 à 130 cm ; « Mrs. Perry », rouge vif, plus courte, 70 à 90 cm, hâtive ; « Adam » **(4)**, rouge carminé, 110 à 120 cm de haut.

Paeonia lactiflora hybrida

pivoine de Chin(

paeoniacées   60-80 cm   juin   ○ ☑

Origine : l'espèce primitive est originaire de Chine et de Mandchourie. Les variétés connue auparavant ont été améliorées en Chine et au Japon. Lorsque ces fleurs furent connues e Europe au début du 19ᵉ siècle, on créa de nouvelles variétés de pivoines, surtout en France e en Angleterre. Depuis quelques temps, les horticulteurs américains s'intéressent aussi au pivoines, si bien que le goût pour ces fleurs s'est développé. **Description :** racines charnues pivotantes, feuilles à pédoncule, présentant deux ou trois lobes et des nervures rouges. Le fleurs sont grandes, simples, semi-doubles ou doubles, en dégradés de tons roses, blancs o rouges. Il existe aussi des variétés blanc crème. Les pivoines sont divisées en différents groupe selon la forme des fleurs : P. à fleurs simples, ayant huit pétales et quantités d'étamines ; P japonaises, simples ou doubles, à étamines stériles transformées en organes allongés serrés a centre de la fleur ; P. à fleurs d'anémone, avec une rangée de larges pétales et P. doubles : fleurs en boule. **Exigences :** on recommande un sol profond, calcaire, avec suffisammen d'humus, d'éléments nutritifs et d'humidité. La plante aime le soleil mais supporte une légèr mi-ombre. **Soins :** planter au printemps ou à la fin de l'été. Distance entre deux plantes : 50 60 cm. Il ne faut pas planter les tubercules à plus de 5 cm de profondeur (ce qui correspond la hauteur des yeux sur le tubercule). Plantées plus en profondeur, les pivoines fleurissent mal Avant de planter, il convient de donner de l'engrais sous forme de compost bien décomposé. I faut prévoir une fertilisation annuelle et pour cela, arroser le pied de la plante d'engrais com plet dilué dans l'eau. **Reproduction :** par division des racines tubéreuses charnues au début d septembre. Il faut veiller à ce que chaque partie détachée de la racine mère possède au moin deux yeux au collet. Les tubercules sans yeux ne se développent pas. **Utilisation :** pour plates bandes herbacées et groupes isolés. Fleurs à couper très appréciées. Il faut couper les fleurs e boutons, lorsque celui-ci commence à s'ouvrir. Les fleurs tiennent alors longtemps en vase **Variétés :**
• P. simples : « Clairette », blanc pur ; « Frans Hals », rouge pourpre ; « Nancy » **(1)**, ros foncé ; « Rembrandt », rouge lumineux ; « Thomas », rose lilas.
• P. japonaises : « Ginkgo-Nishiki », blanc, rayé de pourpre ; « Meisgetsuko », rouge lila clair ; « Tsingtau », rose.
• P. à fleurs d'anémone : « Laura Dessert », pétales externes couleur chair, pétales interne crème ; « Madame de Pompadour », rouge carmin foncé ; « Philimele », pétales externe rouge rose, pétales internes jaunes.
• P. doubles : « Avalanche » blanc à traces orange ; « Augustin d'Hour », rouge violet vif « Reine Wilhelmine » **(2)**, rose clair ; « Bunker Hill » **(3)**, rouge carmin ; « Marie Lemoine » blanc crème ; « Solange », rose carné clair ; « Célébration » **(4)**, rose carmin. Il y a encor beaucoup d'autres variétés.

Papaver nudicaule
pavot d'Island«

papavéracées 30-40 cm mai-septembre ○ ▢

Origine : montagnes de l'Asie centrale. **Description** : plantes bisannuelles. D'une rosette d«
feuilles allongées s'élèvent plusieurs tiges minces, poilues, qui portent chacune une grand«
fleur de coloris lumineux, blanc, rose, orange, jaune ou rouge. Floraison très abondante
s'étendant sur une longue période. **Exigences** : sol perméable, plutôt sec, soleil. **Soins** : plan
ter à la fin de l'été. Distance entre deux plantes : 30 à 40 cm. **Reproduction** : uniquement pa
semis faits à la fin mai. On cultive les jeunes plantes en pots. **Utilisation** : pour plates-band«
et groupes colorés de plantes courtes, aussi pour les grandes rocailles.

Papaver orientale
pavot d'Orient ou de Tournefor

papavéracées 60-100 cm mai-juin ○ ▬

Origine : Asie mineure, Caucase. **Description** : plante robuste à feuilles vert foncé, velues
pennées et grossièrement dentées. Les tiges épaisses, hérissées de poils portent une grand«
fleur solitaire, rouge, rose ou blanche. Après la floraison, la plante entre dans une période d«
repos, pour fleurir à nouveau en automne. **Exigences** : sol riche, profond, avec de l'humidit«
en suffisance et du soleil. **Soins** : planter principalement au printemps. Distance entre deu:
plantes : 50 à 60 cm. **Reproduction** : les variétés se reproduisent par boutures de racines, le
jeunes plantes étant mises en pots. **Utilisation** : pour plates-bandes herbacées, et en groupe
isolés. **Variétés** : « Juliane », pétales blancs ourlés de rose ; « Marius Perry », rouge orang
écarlate ; « Salmon Glow » **(2)**, rose saumon foncé.

Phlox paniculata
phlox vivace panicul«

polémoniacées 60-100 cm juin-août ○ ▨

Origine : régions orientales de l'Amérique du Nord. **Description** : tiges dressées, couvertes d«
feuilles dures, opposées, allongées, lancéolées. Quelques variétés ont un feuillage rougeâtre
Les fleurs se présentent en larges bouquets de petites fleurs blanches, roses, rouges ou violet
tes. Certaines plantes sont à fleurs oculées. Le parfum des phlox est agréable. **Exigences** : so
perméable, humeux, aéré, avec suffisamment d'éléments nutritifs et d'humidité. La plant
aime le soleil et la mi-ombre. Arroser par temps sec. Les phlox sont souvent attaqués par de
parasites dangereux : les anguillules. **Soins** : planter au printemps ou au début de l'automne
Distance entre deux plantes : 40 à 50 cm. **Reproduction** : par division des touffes au prin
temps ou en automne. Aussi par bouture de jeune tige au printemps ou par bouture de racine
Utilisation : plante convenant particulièrement bien pour les plates-bandes herbacées et le
groupes isolés. C'est en buissons touffus que les phlox font le plus d'effet. Pour décoration d«
courte durée et comme fleur à couper. **Variétés** : « Aïda », 80 cm, rouge carmin, « Jacquelin«
Maille », blanc pur ; « Fanal », 100 cm, rouge lumineux ; « Jules Sandeau », 60 cm, rosę «
œil clair, « Charles Curtiss », rouge vif ; « Eclaireur » **(3)**, 100 cm, rose à œil rouge ; « Sala«
din », écarlate orangé ; « Orange », 80 cm, rouge vermillon ; « Pastorale » **(4)**, 90 cm, ros«
chaud ; « Pax », 90 cm, blanc pur ; « Brigadier », rouge carmin ; « Spitfire », 70 cm, roug«
vermillon clair à œil rouge ; « Caroline Van den Berg », bleu violacé ; « Lavender Wolke »
bleu lavande clair. Il y a encore beaucoup d'autres variétés en plus de celles énumérées ci
dessus.

Physalis franchetii **amour en cag**

solanacées 60-80 cm septembre-octobre ○ ◑ ◻

Origine : Japon. **Description :** tige dressée à feuilles ovales ou rondes. Petites fleurs blanchâ tres, peu apparentes. Floraison en juillet. Les fruits de la plante attirent le regard : ce sont de baies rouges, qui sont complètement enfermées à l'intérieur des calices rouge vif. Ceux-ci or la forme de lampions vénitiens. Grâce à ses racines en rhizomes, la plante se développe rapide ment. **Exigences :** sol normal, peu calcaire, humidité en suffisance, emplacement au solei **Soins :** planter au printemps ou en automne. Distance entre deux plantes : 40 à 50 cm. **Repro duction :** par division des souches au printemps. **Utilisation :** en groupes isolés, mais la plant fraîche ou séchée a surtout un rôle décoratif.

Physostegia virginiana **physostégi**

labiées 80-100 cm juillet-septembre ○ ◻

Origine : Amérique du Nord. **Description :** tige dressée, garnie de feuilles lancéolées, dure dentées. Les fleurs blanches, roses ou rouges se tiennent en épi, formant une pyramide à qua tre angles. **Exigences :** bon sol de jardin avec suffisamment d'humidité, emplacement a soleil. **Soins :** planter au printemps. Distance entre deux plantes : 50 à 60 cm. **Reproduction** par division des touffes au printemps. **Utilisation :** pour plates-bandes herbacées et en groupe isolés. Convient aussi comme fleur à couper. La plante fleurit pendant une longue période **Variétés :** « Bouquet Rose », rose foncé ; « Vivid », rose violacé ; « Summer Snow », blar pur.

Phytolacca americana **phytolaqu**

phytolaccacées 100-150 cm juillet-août ○ ◑ □ ◻

Origine : Amérique du Nord. **Description :** plante robuste à racines en forme de carottes. Le tiges dressées, ramifiées ont des feuilles allongées, ovoïdes, à nervures très marquées. Les pet tes fleurs blanches se tiennent en grappe droite. A la fin de l'été, la plante porte des baies d'u ton rouge foncé intense. Les graines contiennent du poison. **Exigences :** tout sol de jardi emplacement au soleil ou à la mi-ombre. **Soins :** planter au printemps. Distance entre de plantes : 80 cm. **Reproduction :** par semis, dès que les graines sont récoltées. **Utilisation** dans les endroits laissés à l'état naturel ou comme plante solitaire.

Platycodon grandiflorum **platycodon, campanule à grande fleur bleu**

campanulacées 40-70 cm juillet-août ○ ◻

Origine : Est de l'Asie. **Description :** racines blanches, charnues, tiges robustes, un peu ram fiées, garnies de feuilles vert foncé, lancéolées et finement dentées. Grandes fleurs en forme clochettes, de couleur bleue, rose clair ou blanche. Les boutons gonflés ont une forme ass particulière. **Exigences :** sol de jardin avec de l'humidité en suffisance, mais pas en excè **Soins :** planter au printemps ou en automne. Distance entre deux plantes : 40 cm. **Reprodu tion :** par graines, semer au printemps. **Utilisation :** pour plates-bandes herbacées, en group isolés et comme fleur à couper. **Variétés :** « Album », blanc ; « Mariesii », bleu, plus court à floraison abondante.

Polygonum campanulatum

persicair

polygonacées   60-80 cm   août-octobre

Origine : Himalaya. **Description** : plante rampante à tiges dressées. Les feuilles sont lancéo-lées, les fleurs en grappes ont la forme de clochettes. La plante a l'avantage de fleurir tar dans la saison et pendant une longue période. **Exigences** : sol normal de jardin, avec d l'humidité en suffisance, emplacement légèrement mi-ombragé. **Soins** : planter au printemp ou en automne. Distance entre deux plantes : 50 à 60 cm. **Reproduction** : par division de touffes au printemps. **Utilisation** : c'est dans les endroits laissés à l'état naturel et près de étendues d'eau que la plante fait le plus d'effet.

Rodgersia aesculifolia

rodgersi

saxifragacées   70-100 cm   juin-juillet

Origine : Chine centrale. **Description** : plante robuste à grandes feuilles qui, par leur forme rappellent celles du marronnier. La hampe florale est imposante, en forme de pyramide, et es composée de petites fleurs blanches. **Exigences** : la plante a besoin d'un sol riche, humeux d'humidité en suffisance et d'un emplacement à la mi-ombre. Si la plante aime l'humidité, d moins ne lui en faut-il pas trop. **Soins** : planter au printemps. Distance entre deux plantes : 8 à 100 cm. **Reproduction** : par division des touffes au printemps. **Utilisation** : surtout comm plante solitaire, à la mi-ombre dans les parcs et les grands jardins. Effet très décoratif prè d'une étendue d'eau.

Rudbeckia fulgida

composées   50-70 cm   août-octobre

Origine : Amérique du Nord. **Description** : plante dressée, compacte, à tiges ramifiées garnie de feuilles lancéolées et velues. Les fleurs sont jaune foncé, à disque central brun foncé o noir. Floraison abondante. **Exigences** : la plante se développe dans tout bon sol de jardin avec de l'humidité en suffisance et à un endroit ensoleillé. **Soins** : planter au printemps ou e automne. Distance entre deux plantes : 50 à 60 cm. **Reproduction** : par division des touffes a printemps ou en automne, aussi par semis au printemps. **Utilisation** : plante vivace très inté ressante pour le plein été. Pour plates-bandes herbacées, en groupes isolés ou en solitaire.

Rudbeckia hybrida

rudbecki

composées   80-100 cm   juillet-octobre

Origine : Etats-Unis. Les hybrides de rudbeckia proviennent vraisemblablement des *R. hirta* qui ont été améliorées. **Description** : plante dressée à tiges ramifiées, velues, couvertes de feuilles vert clair, lancéolées, poilues elles aussi. Grands capitules simples ou semi-doubles d coloris jaune, jaune rouge ou brun rouge, à disque central brun. Floraison abondante et d longue durée. **Exigences** : sol normal, plutôt sec, emplacement ensoleillé. Un sol humide rac courcit la longévité de la plante. **Soins** : planter au printemps ou au début de l'automne. Dis tance entre deux plantes : 70 à 100 cm. **Reproduction** : principalement par semis au prin temps. La plante se développe rapidement même déjà la première année. **Utilisation** : pou plates-bandes herbacées, en groupes isolés. Excellente fleur à couper. **Variétés** : on cultive l plus souvent la variété « Gloriosa Daisy » **(4)**.

Rudbeckia laciniata
rudbeckia laciniée

composées   180-200 cm   juillet-septembre   ○ ◪

Origine : régions orientales de l'Amérique du Nord. **Description** : plante haute, dressée mais pas très rigide ; tiges ramifiées à feuilles à trois lobes, très découpées, se terminant par une grande quantité de fleurs doubles, jaune d'or. **Exigences** : la plante pousse dans tout sol de jardin à un emplacement ensoleillé. **Soins** : planter au printemps ou en automne. Distance entre deux plantes : 60 cm. **Reproduction** : par division des touffes au printemps ou en automne. **Utilisation** : les espèces hautes conviennent bien pour les grands jardins et les parcs. **Variétés** : « Goldball » **(1)**, environ 150 cm de haut ; « Goldquelle », plus rigide, seulement 80 cm de haut.

Rudbeckia nitida
rudbeckia brillante

composées   180-200 cm   juillet-septembre   ○ ◐ ◪

Origine : régions méridionales de l'Amérique du Nord. **Description** : plante haute, bien dressée, à tiges solides, ramifiées et à feuilles ovales, lancéolées, lisses et brillantes. Les grandes fleurs ont un disque central vert clair et les pétales sont retombants. **Exigences** : sol normal de jardin avec suffisamment d'humidité. Emplacement au soleil ou à la mi-ombre. **Soins** : planter au printemps ou en automne. **Reproduction** : par division des touffes au printemps ou en automne. **Utilisation** : à l'arrière-plan dans les plates-bandes et en groupes isolés. Les fleurs tiennent longtemps en vase.

Salvia nemorosa
sauge superbe

labiées   40-80 cm   juin-juillet   ○ □

Origine : du Sud de l'Europe à l'Asie du Nord-Ouest. **Description** : touffe peu élevée, dressée et compacte. Les tiges ont des feuilles vert foncé, lancéolées, velues. Les petites fleurs bleu violacé se présentent en longs épis serrés. **Exigences** : sol sec, perméable, emplacement ensoleillé. **Soins** : planter au printemps ou en automne. Distance entre deux plantes : 30 à 40 cm. **Reproduction** : par division des touffes ou par bouture au printemps. **Utilisation** : pour plates-bandes herbacées et groupes isolés à aspect très naturel. **Variétés** : « Lubecca », fleurs violet foncé à calice rouge carmin ; « Mainacht », bleu lumineux ; « Superba » **(3)**, bleu violet, calice rouge.

Scabiosa caucasica
scabieuse du Caucase

dipsacacées   60-100 cm   juillet-septembre   ○ ◪

Origine : Caucase. **Description** : plante dressée à tiges ramifiées, couvertes de feuilles pennées. Fleurs à pétales larges et ondulés. Ils sont bleu clair, violet ou blanc. **Exigences** : sol calcaire, perméable, riche, emplacement ensoleillé. **Soins** : planter au printemps ou en automne. Distance entre deux plantes : 40 à 50 cm. **Reproduction** : par division des touffes au printemps, par boutures et aussi par graines. **Utilisation** : pour plates-bandes herbacées et comme fleur à couper. Les fleurs tiennent longtemps en vase. **Variétés** : « Clive Greaves », bleu lavande clair ; « Miss Willmott », blanc ; « Stafa », violet foncé.

Stokesia laevis
bleuet d'Amériqu

composées   30-40 cm   août-septembre   ○ ☑

Origine : Nord-Est des Etats-Unis. **Description :** d'une rosette pas trop serrée de feuille
pétiolées, lancéolées et à bords lisses, s'élève une tige dressée, ramifiée, portant des fleurs qu
ressemblent aux reines-marguerites et peuvent atteindre 10 cm de diamètre. Elles sont de cou
leur bleu lilas mais de ton plus clair au centre. **Exigences :** sol calcaire, sableux, perméable
légèrement humide. La plante ne supporte pas un excès d'humidité. **Soins :** planter au prin
temps. Distance entre deux plantes : 30 cm. Couvrir de branchages l'hiver. **Reproduction**
par division des touffes ou par semis au printemps. **Utilisation :** dans les rocailles, pour le
plates-bandes, comme fleur à couper. **Variétés :** « Blue Moon » et « Blue Star ».

Thalictrum aquilegifolium
pigamo

renonculacées   80-130 cm   mai-juillet   ◗ ☑

Origine : de l'Europe à la Sibérie et au Japon. **Description :** plantes dressées à tiges ramifiées
garnies d'un feuillage léger, assez semblable à celui des ancolies. Les petites fleurs blan
crème, roses ou violet clair, qui ont des étamines de forme assez spéciale, forment un bouque
serré. **Exigences :** sol de jardin avec de l'humidité en suffisance, exposition à la mi-ombre
Soins : planter au printemps ou en automne. Distance entre deux plantes : 50 à 60 cm. **Repro**
duction : par division des touffes au printemps ou par semis également au printemps. **Utilisa**
tion : pour parterres situés à la mi-ombre ou en groupes isolés.

Tradescantia Andersoniana hybrida
éphémèr

commélinacées   50-60 cm   mai-septembre   ○ ◗ ☑

Origine : les variétés proviennent du croisement des espèces américaines, surtout *T. virg*
niana. **Description :** plante dressée à longues feuilles étroites, pliées en forme de gouttière e
engainantes. Les fleurs roses, bleues ou blanches ont trois pétales et se tiennent en bouquet
l'extrémité des tiges. **Exigences :** sol de jardin avec de l'humidité en suffisance, emplacemen
ensoleillé, mi-ombre légère. **Soins :** planter au printemps ou en automne. Distance entre deux
plantes : 40 à 60 cm. **Reproduction :** surtout par division des touffes au printemps. **Utilisa**
tion : pour plates-bandes herbacées, en groupes isolés, près d'une étendue d'eau. **Variétés**
« Blue Stone », bleu lumineux ; « L'Innocence », blanc.

Trillium grandiflorum
trill

liliacées   30-40 cm   mai-juin   ◗ ☑

Origine : régions centrales et orientales de l'Amérique du Nord. **Description :** la plante a un
courte racine tubéreuse. Les feuilles larges, ovoïdes sont verticillées. Du milieu de la feuill
s'élève une courte tige se terminant par une fleur à trois pétales. Ces derniers sont allongés e
arqués. Leur coloris est blanc, mais en fin de floraison il vire au rose. Pendant l'été, la plant
est dans une période de repos. **Exigences :** sol humeux avec suffisamment d'humidité, empla
cement à la mi-ombre. Couvrir de branchages l'hiver. **Soins :** planter au printemps. Distanc
entre deux plantes : 30 à 40 cm. **Reproduction :** par division des tubercules mais surtout pa
semis d'automne. Il faut compter trois ou quatre ans pour que la plante atteigne son dévelop
pement complet. **Utilisation :** dans les rocailles et dans les endroits laissés à l'état naturel.

Trollius hybrides

trolle

renonculacées   60-80 cm   mai-juin   ○ ◑ ◩

Origine : les variétés proviennent du croisement d'espèces européennes et asiatiques. **Description :** plante dressée à feuilles palmées. Les tiges sont légèrement ramifiées et se terminent par une fleur en boule, simple ou double, de coloris jaune ou orange. **Exigences :** sol de jardin, légèrement humide, emplacement ensoleillé ou à la mi-ombre. **Soins :** planter au printemps ou en automne. Distance entre deux plantes : 40 à 50 cm. **Reproduction :** les variétés, par division des souches au printemps ou en automne ; les espèces, par semis d'automne. **Utilisation :** pour plates-bandes herbacées, en groupes isolés, tout spécialement au bord de l'eau. **Variétés :** « Aetna », orange ; « Earliest of All », jaune d'or, hâtive ; « Goldquelle », jaune foncé.

Veronica incana

véronique

scrophulariacées   40-50 cm   juin-juillet   ○ ◑ ◩

Origine : du Sud de l'Europe au Nord de l'Asie. **Description :** d'une rosette de feuilles lancéolées s'élèvent des tiges légèrement ramifiées, qui se terminent en épis serrés de petites fleurs bleu foncé. Toute la plante est recouverte d'un duvet blanc. **Exigences :** sol de jardin perméable, avec de l'humidité en suffisance. Exposition ensoleillée ou à une légère mi-ombre. **Soins :** planter au printemps ou en automne. Distance entre deux plantes : 30 à 40 cm. **Reproduction :** par division des touffes au printemps ou en automne. **Utilisation :** pour plates-bandes et endroits laissés à l'état naturel. **Variété :** « Rosea », à fleurs roses.

Viola cornuta

violette cornue

violacées   10-20 cm   juin-août   ○ ◩

Origine : Pyrénées. **Description :** plante formant un tapis fleuri. Elle a des tiges ramifiées garnies de feuilles allongées, ovoïdes et porte des fleurs qui sont le plus souvent bleues ou violettes, mais qui peuvent avoir d'autre coloris. La forme de la fleur ressemble à celle des pensées. Fleur intéressante par sa floraison de longue durée. **Exigences :** bon sol de jardin, avec de l'humidité en suffisance, endroit ensoleillé, mais le plein soleil est à éviter. **Soins :** planter au printemps ou à la fin de l'été. Distance entre deux plantes : 30 à 40 cm. **Reproduction :** par division des touffes au printemps ou par boutures en été, quelques variétés se multiplient par semis. **Utilisation :** pour les jardins de rocailles pas trop petits et en groupes isolés. **Variétés :** il faut citer « Prince Henri », violet pourpre ; « Prince jaune », jaune ; « race de Paris » et « Blason » aux coloris blancs, bleus, jaunes, violets.

Yucca filamentosa

yucca

liliacées   100-120 cm   août-septembre   ○ ▢

Origine : régions méridionales de l'Amérique du Nord. **Description :** d'une grande rosette de feuilles étroites, raides, d'un gris vert, s'élève une hampe florale garnie de fleurs retombantes d'un blanc pur. Elles ont la forme de clochettes. Les racines sont de gros rhizomes. **Exigences :** bon sol de jardin, perméable, endroit réchauffé et ensoleillé. La plante supporte aussi la sécheresse. **Soins :** planter au printemps. Distance entre deux plantes : 80-100 cm. **Reproduction :** par division des touffes et des rhizomes au printemps. **Utilisation :** plante faisant beaucoup d'effet en exemplaire solitaire ; aussi en groupes isolés pour jardins à aspect de steppes.

Les graminées

Arrhenatherum elatius
avoine élevée

graminées   30-40 cm   ○ □

Origine : Europe, Afrique, Ouest de l'Asie. **Description :** on cultive surtout l'espèce bicolore, à longues feuilles vertes striées de blanc. Les petits épis se tiennent au sommet d'une tige de 50 cm environ. La plante a des petits tubercules ronds et plats. L'été, les feuilles entrent dans une période de repos. **Exigences :** les meilleures conditions pour la plante sont un sol sec, perméable et une exposition ensoleillée. **Soins :** planter au printemps. Distance entre deux plantes : 30 cm. **Reproduction :** par division des touffes au printemps, au moment où la plante commence à pousser. **Utilisation :** pour le jardin de bruyère ou le jardin à aspect de steppe.

Avena sempervirens
avoine

graminées   40-50 cm (épis : 100 cm)   juin-juillet   ○ □

Origine : zone tempérée de l'hémisphère nord. **Description :** touffe bien étalée de feuilles étroites, d'un ton gris bleu. En mai, fleurissent les épis terminant les longues tiges. **Exigences :** sol sableux, plutôt pauvre et sec, endroit ensoleillé. **Soins :** planter au printemps. Distance entre deux plantes : 50 à 60 cm. Après trois ou quatre ans, il faut diviser les touffes et replanter séparément. Au printemps, on taille les plantes jusqu'au niveau du sol, et elles repoussent très rapidement. **Reproduction :** par division des touffes au printemps. **Utilisation :** très belle plante solitaire pour le jardin de rocailles et les espaces verts laissés à l'état naturel.

Cortaderia selloana
gynérium, herbe des pampas

graminées   80-100 cm (épis : 200 cm)   septembre-octobre   ○ □ ◪

Origine : Argentine, Brésil. **Description :** vaste touffe de feuilles étroites, vert gris. Les grands épis soyeux et argentés, aux extrémités des grandes tiges, fleurissent à partir de la fin de l'été. C'est une des plus belles graminées. **Exigences :** emplacement réchauffé, abrité, sol profond, perméable, riche, avec un bon drainage. Au printemps, il faut à la plante de l'humidité en suffisance et en hiver, de la sécheresse. **Soins :** planter au printemps. Distance entre deux plantes : 100 à 150 cm. Dans les régions à climat plus rude, il faut couvrir la plante, l'hiver, avec des branchages ; la taille se fait au printemps. **Reproduction :** par division des souches au printemps. Les jeunes plantes sont cultivées en pots. **Utilisation :** en exemplaire isolé.

Deschampsia cespitosa
deschampsie

graminées   40 cm (épis : 80 cm)   juillet-septembre   ○ ◑ □ ◪

Origine : Europe, Asie, Amérique. **Description :** buisson étendu de feuilles étroites vert foncé, avec quantités de petits épis doux, parfumés, de coloris jaunâtre, qui restent en place jusqu'au milieu de l'automne. **Exigences :** plante sans exigences, qui se développe dans n'importe quelles conditions. C'est en exposition au soleil que la floraison de la plante est la plus abondante. **Soins :** planter au printemps ou à la fin de l'été. Distance entre deux plantes : 50 à 60 cm. La plante peut rester des années au même emplacement. Il faut, au printemps, raccourcir les tiges jusqu'au niveau du sol. **Reproduction :** par division des souches au printemps ou en automne. **Utilisation :** dans les grandes rocailles, mini-steppes et jardins de bruyère.

Festuca glauca

fétuqu

graminées   15-20 cm   mai-juin   ○ ▢

Origine : les Alpes. **Description :** touffe basse, compacte, à feuilles très étroites, d'un ble
argenté. De petits épis apparaissent à la fin mai. C'est la plus belle des graminées courtes. **Ex**
gences : sol sableux, sec, pauvre, emplacement ensoleillé. **Soins :** planter au printemps ou à l
fin de l'été. Distance entre deux plantes : 20 à 30 cm. Après deux ou trois ans, il faut divise
les touffes et replanter chaque partie séparément. **Reproduction :** par division des touffes a
printemps ou en automne. **Utilisation :** dans les rocailles et les endroits laissés à l'état nature

Miscanthus sinensis

eulalie du Japo

graminées   160-180 cm   septembre-octobre   ○ ▢ ▢

Origine : Asie du Sud et de l'Est. **Description :** graminée robuste, très décorative par ses feui
les et la forme du buisson. Selon la variété, les feuilles sont larges ou étroites, vertes ou pana
chées. **Exigences :** sol profond, perméable, riche, avec de l'humidité en suffisance, emplace
ment ensoleillé. En hiver, la plante préfère la sécheresse. **Soins :** planter au printemps uniqu
ment. Distance entre deux plantes : 80 à 150 cm. Couvrir de branchages avant l'hiver. Rac
courcir les tiges seulement au printemps, la plante se développe assez tard. **Reproduction :** pa
division des touffes au printemps. **Utilisation :** comme plante solitaire imposante ou dans le
endroits laissés à l'état naturel. **Variétés :** « Gracillimus « **(2)**, belle touffe élargie à fines feui
les vertes ; « Zebrinus », moins développée, larges feuilles à rayures transversales jaunes.

Phalaris arundinacea

roseau panach

graminées   60-80 cm   juin-juillet   ○ ◑ ▢

Origine : Europe. **Description :** on cultive exclusivement dans les jardins les variétés à feuill
panachées longitudinalement de blanc. Au moment de la floraison, les épis serrés ont aussi u
effet décoratif. Grâce à ses racines en rhizomes rampants, la plante se développe presque exa
gérément. **Exigences :** plante sans exigences, mais elle préfère un emplacement humide
Soins : planter au printemps ou en automne. Distance entre deux plantes : 40 à 50 cm. **Repr**
duction : très facilement par division des touffes à n'importe quelle saison. **Utilisation :** pou
plates-bandes, dans les endroits laissés à l'état naturel, au bord de l'eau. **Variétés :** « Piéta »
la jeune plante a des feuilles roses, plus tard, elles sont striées de blanc ; « Tricolore », feuill
panachées de rouge, violet et blanc.

Spartina pectinata

graminées   150-170 cm   juillet   ○ ◑ ▢

Origine : Amérique du Nord. **Description :** grande touffe de feuilles étroites, qui se replient e
arcs vers le sol. La plante a des épis drus en été. Elle se développe très facilement grâce à s
rhizomes. **Exigences :** bon sol de jardin, avec de l'humidité en suffisance, surtout au pri
temps, période où la plante se développe. Emplacement ensoleillé ou à la mi-ombre. **Soins**
planter au printemps. Distance entre deux plantes : 60 à 80 cm. On raccourcit les tiges a
niveau du sol, seulement au printemps. **Reproduction :** par division des touffes au printemp
Utilisation : très belle plante solitaire. **Variétés :** à côté de l'espèce primitive uniquement
feuillage vert, il faut citer « Aureomarginata », dont le bord des feuilles est strié de jaune

Les plantes aquatiques et de marais

Caltha palustris

caltha des étang

renonculacées   20-30 cm   mars-mai   ○ ◐ ▢

Origine : toute la zone tempérée. **Description** : feuilles vert foncé, brillantes, réniformes, fleurs d'un jaune lumineux. La plante prend de l'extension grâce à ses rhizomes. On cultive surtout au jardin l'espèce double. **Exigences** : plante aimant l'humidité même permanente. Pousse dans tout sol, surtout à la mi-ombre, mais la plante supporte le soleil. **Soins** : plante au printemps ou à la fin de l'été. Distance entre deux plantes : 30 cm. **Reproduction** : par division des souches au printemps ou au début de l'automne. **Utilisation** : au bord des bassins e des petits ruisseaux, aussi dans les rocailles. **Variétés** : « Multiplex » et « Alba ».

Eichnornia crassipes

jacinthe d'eau

pontédériacées   20-30 cm   juin-septembre   ○ ▢

Origine : Amérique centrale et du Sud. **Description** : la plante et ses racines sont flottantes. Les racines sont bleuâtres, fibreuses et donnent naissance à une rosette de feuilles cordées, ovales, munies d'un long pétiole curieusement gonflé. Fleurs lilas à tiges courtes. **Exigences** : plante aimant la chaleur ; elle doit être hivernée sous abri vitré. **Soins** : planter en plein air dans les bassins, à partir de fin mai. **Reproduction** : par semis. **Utilisation** : petits bassins.

Hippuris vulgaris

pess

hippuridacées   30-50 cm   juin-juillet   ○ ■

Origine : Europe, Asie, Amérique du Nord, Australie. **Description** : plante dressant hors de l'eau ses tiges couvertes de petites feuilles douces, filiformes, semblables à celles des prêles, petites fleurs peu visibles et sans grand intérêt. **Exigences** : plante sans exigences, elle se développe le mieux au soleil et perd de sa robustesse en exposition ombragée. Profondeur d'eau nécessaire : 10 à 20 cm. **Soins** : planter au printemps, avant que la plante ne pousse. Pour les petits bassins, il est conseillé de planter l'hippuris vulgaris dans une vasque déposée ensuite au fond de l'eau ; la plante ne se développe alors pas exagérément. **Reproduction** : très facile, par division des touffes. **Utilisation** : dans les bassins.

Iris pseudacorus

iris des marais

iridacées   80-100 cm   mai-juin   ○ ◨ ■

Origine : Europe. **Description** : longues feuilles vert foncé, assez larges, fleurs jaunes à pétales internes étroits et pétales externes larges. Les fleurs au bout des tiges fleurissent l'une après l'autre. **Exigences** : la plante pousse bien en eau peu profonde, sur les rivages, aussi dans un parterre au sol pas trop sec. **Soins** : planter au printemps ou en automne. La plante peut rester des années au même emplacement. **Reproduction** : par division des touffes. Par semis, on obtient au bout deux à trois ans des plantes qui donnent des fleurs. **Utilisation** : dans des bassins pas trop profonds, au bord des étangs et des ruisseaux. L'iris pseudacorus est une fleur à couper très décorative ; les ovaires de la plante, récoltés avant maturité complète, sont aussi un élément décoratif. **Variétés** : l'espèce primitive a des fleurs jaune d'or, la variété *pallidiflor* hort. **(4)** a des fleurs jaune crème.

Nymphaea hybrida   **nénupha**

nymphaéacées   juin-septembre   ○

Origine : les variétés cultivées proviennent surtout d'espèces européennes et américaines. **Des**
cription : des rhizomes volumineux, charnus s'élèvent de longues tiges se terminant par d
grandes feuilles rondes, qui flottent sur l'eau. Les fleurs semi-doubles ou doubles ont des éta
mines très spéciales et sont de coloris blanc, jaune crème, jaune, rose, rouge orangé et bronz
cuivré. **Exigences** : sol sans calcaire, lourd, riche, endroit réchauffé et ensoleillé, eaux sta
gnantes si possible. La profondeur d'eau requise par les nénuphars varie avec chaque espèce e
chaque variété. Elle est de 40 à 60 cm pour la plupart des plantes. Pour les nénuphars nains
20 à 30 cm d'eau suffisent. **Soins** : planter au printemps, de la fin avril jusqu'au mois de juin
compris. Les nénuphars se cultivent de différentes façons. On peut les planter dans des cais
sons ou paniers immergés dans l'eau, les sortir à l'automne et les hiverner en cave. Ou bien, o
les plante directement dans la couche de terre franche au fond du bassin ; ils peuvent passe
alors l'hiver dans l'eau, à condition qu'elle ne gèle pas. Si ce danger existe, il faut retirer l'ea
du bassin et couvrir le fond de branchages. Dans le cas de bassins trop peu profonds, on peu
toujours creuser des trous dans le fond et y planter les nénuphars. Si les plantes sont cultivée
en caissons, il faut remplacer la terre tous les deux ou trois ans et en même temps diviser le
souches. **Reproduction** : par division des souches au printemps. **Utilisation** : dans les petite
pièces d'eau naturelles ou artificielles. **Variétés** : il y en a beaucoup, par exemple, « Marliace
Albida » (1), blanc ; « Graziella », rouge orange ; « Indiana » (2), orange cuivré ; « Jame
Brydon », rouge cerise ; « Helvola », jaune.

Pontederia cordata   **pontédéri**

pontédériacées   50-60 cm   juin-octobre   ○

Origine : Amérique du Nord. **Description** : feuilles à long pétiole.   ees, ovoïdes, d'un ver
brillant ; grappes de fleurs bleues à l'extrémité d'une longue tig   **Exigences** : emplacemen
ensoleillé, profondeur de l'eau : 10 cm. **Soins** : planter au printemps, d'avril à mai ; l'hiver
couvrir de branchages, une fois l'eau retirée. **Reproduction** : par division des rhizomes a
printemps ou par semis dans de la terre humide. **Utilisation** : pour marais et bassins peu pro
fonds.

Sagittaria sagittifolia   **sagittair**

alismacées   40-70 cm   juin-juillet   ○ ■

Origine : Europe. **Description** : plante aquatique dont les feuilles sont en forme de flèche
Fleurs blanches portant une tache rouge à la base. Elles sont verticillées. La tige n'a pas d
feuilles. **Exigences** : sol lourd non alcalin. Profondeur de l'eau : 10 à 20 cm ; emplacemen
ensoleillé. **Soins** : planter au printemps dans les marais et les bassins. Dans les bassins plu
profonds, on dispose des tuiles ou des pierres sous les baquets, pour atteindre la profondeu
requise par la plante. **Reproduction** : surtout par division des rhizomes au printemps. **Utilisa**
tion : pour marais et étendues d'eau. **Variétés** : en plus de l'espèce primitive, il y a la var. *leu*
copetala à fleurs blanc pur, et la var. *plena* à fleurs blanches doubles.

Les fougères

Blechnum spicant

blechnum

polypodiacées   15-25 cm   juillet-septembre   ◐ ● ◪

Origine : Europe, Asie mineure, et du Caucase au Japon. **Description :** plante à feuilles persistantes de deux espèces : les feuilles stériles sont vert foncé, étroites, ont 20 cm de long, sont profondément découpées et forment une rosette, tandis que les tiges qui portent les spores sont plus longues, ont une tige brune robuste et sont garnies de quantités de sporanges à la face inférieure. **Exigences :** c'est un humus acide, composé de détritus végétaux et de tourbe qui convient le mieux. Humidité en suffisance, exposition à l'ombre ou à la mi-ombre. **Soins :** planter au printemps. Distance entre deux plantes : 25 cm. **Reproduction :** par division des touffes. **Utilisation :** dans les endroits ombragés des rocailles ou aux emplacements humides.

Dryopteris filix-mas

fougère mâle

polypodiacées   80-100 cm   juillet-septembre   ○ ◐ ● ◪

Origine : plaines et forêts montagneuses du monde entier. **Description :** fougère imposante à rhizomes rouge rouille et grandes feuilles pennées disposées en entonnoir. **Exigences :** la plante n'a pas d'exigences particulières, pousse dans tout sol sableux, pas trop sec. La meilleure exposition est la mi-ombre, mais la plante supporte le soleil, si l'emplacement est suffisamment humide. **Soins :** planter au printemps, au moment où la plante commence à pousser. Distance entre deux plantes : 50 à 60 cm. **Reproduction :** par division des souches au printemps. **Utilisation :** pour endroits mi-ombragés du jardin. **Variétés :** « Barnesii », les feuilles sont deux fois pennées ; « Cristata », feuilles étroites, deux fois pennées et fourchues.

Matteucia struthiopteris

fougère d'Allemagne

polypodiacées   80-100 cm   ◐ ● ◪

Origine : de l'Europe à l'Asie du Nord. **Description :** les feuilles stériles et pennées forment un grand entonnoir du milieu duquel s'élèvent les tiges porteuses de spores. Elles ont environ 40 cm de long, sont vert olive au début, puis brunes. Le rhizome en terre développe de nombreuses pousses latérales, qui permettent à la plante de se développer rapidement. **Exigences :** sol sans calcaire, humeux, avec de l'humidité en suffisance. Exposition à la mi-ombre, mais la plante supporte un endroit bien ensoleillé. **Soins :** planter au printemps, au moment où la plante commence à pousser. Distance entre deux plantes : 50 à 60 cm. **Reproduction :** par division des souches et par boutures. **Utilisation :** dans les parcs et jardins mi-ombragés.

Phyllitis scolopendrium

scolopendre

polypodiacées   20-40 cm   ● ◪

Origine : Europe. **Description :** le rhizome rampant est épais, brun rouge. Les feuilles assez courtes sont largement lancéolées, à bords lisses, pourvues à la base de lobes en forme d'oreilles. Les jeunes plantes sont vert clair, puis deviennent plus foncées avec le temps. Les réserves de spores se trouvent à la face inférieure des feuilles. **Exigences :** sol humide, humeux, exposition à l'ombre. **Soins :** planter au printemps. Distance entre deux plantes : 25 à 30 cm. **Reproduction :** par semis de spores, ou par extrémité de pétiole. **Variétés :** « Capitatum », « Crispum ».

Les plantes de rocailles

Adonis vernalis

adonide de printemp

renonculacées   15-25 cm   avril-mai

○ □

Origine : les régions assez tempérées d'Europe. **Description :** grandes fleurs simples d'u jaune lumineux. Les feuilles douces, filiformes poussent sur des tiges non ramifiées. La plant entre dans une période de repos à la fin du printemps. **Exigences :** sol perméable, sec, calcaire emplacement réchauffé et ensoleillé. **Soins :** planter au printemps ou après la période d repos. Distance entre deux plantes : 25 à 30 cm. **Reproduction :** éventuellement par divisio des touffes, mais principalement par semis de graines récoltées juste avant leur maturité e semées aussitôt après. Au début, la jeune plante se développe très lentement. **Utilisation** dans les rocailles, les mini-steppes et les endroits laissés à l'état naturel.

Ajuga reptans

ajug

labiées   10-20 cm   mai-juin

○ ◑ □

Origine : Europe. **Description :** feuilles sombres, ovales, s'élargissant vers le haut. Les petite fleurs bleues ont de courtes tiges feuillues et sont verticillées. L'intérêt principal de la plant est dans les feuilles, qui, selon les variétés, ont des coloris différents. La plante forme des tou fes denses et courtes, et s'étend rapidement en largeur. **Exigences :** sol de jardin avec d l'humidité en suffisance. Exposition au soleil ou à la mi-ombre. **Soins :** peut être planté n'importe quand. Distance entre deux plantes : 20 à 25 cm. **Reproduction :** très facilemen par marcottage. **Utilisation :** aux endroits humides et mi-ombragés des rocailles, près des éten dues d'eau, comme plante remplaçant le gazon. **Variétés :** « Atropurpurea », feuilles bru rouge ; « Multicolore », tache jaune sur les feuilles brun rouge.

Alopecurus lanatus

vulpi

graminées   10-15 cm   juillet

○ □

Origine : hautes montagnes d'Asie mineure. **Description :** plante courte à feuillage gri argenté, feutré, lancéolé. Au moment de la floraison, la plante a des fleurs en épis peu visible **Exigences :** la plante pousse dans un sol presque entièrement sablonneux, avec un léger appo de tourbe et ayant un bon drainage. Emplacement ensoleillé et sec. **Soins :** planter au prin temps. Distance entre deux plantes : 10 à 15 cm. L'hiver, il faut protéger la plante de l'humi dité au moyen d'une plaque de verre. **Reproduction :** par division des touffes au printemps **Utilisation :** surtout pour les amateurs de curiosités. Dans les jardins de rocailles.

Alyssum saxatile

alysse des rochers, corbeille d'o

crucifères   20-30 cm   avril-mai

○ □

Origine : de l'Europe à l'Asie mineure. **Description :** feuilles gris vert allongées formant u coussin. Petites fleurs jaune d'or en épis serrés. Floraison abondante. **Exigences :** plante san exigences particulières, se développe dans tout sol perméable, calcaire. Elle aime le solei **Soins :** planter au printemps ou en automne. Distance entre deux plantes : 40 cm. **Reproduc tion :** par semis au printemps. Les jeunes plantes sont cultivées en pots. **Utilisation :** pou endroits bien secs, rocailles, murs fleuris, endroits laissés à l'état naturel.

Anacyclus depresus

anacycle

composées   10-15 cm   mai-août   ○ □

Origine : hautes montagnes du Maroc. **Description :** plante de petite taille, à feuilles poilues, très découpées. Les capitules sont blancs, mais les boutons de fleurs, roses. Les tiges sont courtes. **Exigences :** sol bien drainé, perméable, légèrement calcaire, emplacement ensoleillé. **Soins :** planter au printemps. Distance entre deux plantes : 20 cm. **Reproduction :** par semis tout de suite après la maturité des graines ; semer en serre dans une terre légère contenant du gravier. Les jeunes plantes se cultivent en pots. On peut aussi faire des boutures au printemps. **Utilisation :** dans les petites rocailles, dans les emplacements creusés dans les pierres poreuses.

Androsace alpina

primulacées   3-5 cm   juin-juillet   ○ ◪

Origine : Alpes d'Europe centrale. **Description :** plante de haute montagne formant un coussin ou même un tapis de petites feuilles gris vert, allongées, pointues, duveteuses. Les petites fleurs blanches ou roses sont solitaires au bout des tiges. **Exigences :** sol perméable, caillouteux, avec assez d'humidité, endroit ensoleillé. Floraison abondante, surtout en altitude. **Soins :** planter au printemps. Distance entre deux plantes : 15 cm. En plaine, protéger l'hiver par du feuillage. **Reproduction :** en détachant les jeunes pousses naissant de la souche. **Utilisation :** dans les endroits des rocailles réservés aux plantes plutôt fragiles, entre les pierres, sur les éboulis, là où le sol est humide.

Androsace hirtella

primulacées   5-10 cm   juillet-août   ○ ◑ □

Origine : Pyrénées. **Description :** la plante forme une touffe serrée de petites feuilles allongées, de coloris vert foncé à brun, duveteuses. Les fleurs de 4 cm de diamètre sont blanches. **Exigences :** sol sans calcaire, perméable, si possible sableux, humeux et bien drainé. Emplacement en pleine lumière, à l'est. Protéger l'hiver par du feuillage. **Soins :** planter au printemps. Distance entre deux plantes : 10 cm. **Reproduction :** par semis tout de suite après la récolte des graines. On cultive les jeunes plantes en pots. **Utilisation :** entre les pierres de rocailles, dans le jardin de rocailles, près des plantes plutôt fragiles.

Anthemis nobilis

camomille romaine

composées   15-25 cm   juin-août   ○ □

Origine : Europe. **Description :** on ne cultive dans les jardins que l'espèce double. La plante forme un léger tapis de feuilles filiformes, fines et très découpées. Les capitules sont blancs, doubles. La plante s'étend rapidement en largeur et couvre bien le sol. Floraison de longue durée. **Exigences :** plante sans exigences, elle pousse dans tout sol de jardin assez humide, à un emplacement ensoleillé. **Soins :** planter au printemps ou à la fin de l'été. Distance entre deux plantes : 30 cm. **Reproduction :** par division des touffes au printemps. **Utilisation :** sur les surfaces planes du jardin de rocailles, ou à la place de gazon. **Variétés :** « Flore Pleno » **(4)**, double, blanc.

Aquilegia discolor

ancolie naine

renonculacées   12-15 cm   mai

○ ◑ ☐

Origine : Espagne. **Description :** touffe basse de feuilles divisées deux fois. La tige courte, peu ramifiée porte des fleurs à pétales blancs et sépales bleu clair. **Exigences :** la plante pousse le mieux dans un sol perméable, avec de l'humidité en suffisance et à un endroit légèrement ombragé. **Soins :** planter au printemps ou à la fin de l'été. Distance entre deux plantes 20 cm. **Reproduction :** par graines, semis au printemps. On cultive les jeunes plantes en pots. **Utilisation :** comme plante solitaire ou en petits groupes dans les rocailles.

Arabis caucasica

crucifères   15-20 cm   mars-avril

○ ◑ ☐

Origine : régions orientales de la Méditerranée, jusqu'au Caucase. **Description :** touffe serrée de feuilles gris vert, lancéolées. Les tiges minces, peu feuillues portent des petites fleurs blanches en grappes. **Exigences :** pousse dans tout sol de jardin, à un endroit ensoleillé ou mi-ombragé. **Soins :** planter au printemps ou en automne. Distance entre deux plantes : 25 à 30 cm. **Reproduction :** par division des touffes ou par bouture. **Utilisation :** dans les grandes rocailles, pour garnir des surfaces planes dans les endroits laissés à l'état naturel, pour bordures et murs fleuris. **Variété :** « Variegata » **(2)**, à feuilles vertes et blanches.

Arabis procurrens

crucifères   10-30 cm   avril-mai

○ ◑ ☐

Origine : Carpates, Balkans. **Description :** touffe basse, très serrée de feuilles vert foncé à face supérieure brillante. Les petites fleurs blanches se tiennent en épis sur les tiges minces. Plante à feuillage persistant, luxuriante, fleurissant avec abondance et couvrant bien le sol. **Exigences :** sol perméable, avec assez d'humidité, exposition au soleil ou à la mi-ombre. **Soins :** planter au printemps ou à la fin de l'été. Distance entre deux plantes : 20 à 30 cm. **Reproduction :** très facilement par division des touffes au printemps ou à la fin de l'été. **Utilisation :** dans les grandes rocailles, sur les murs fleuris et comme plante remplaçant le gazon, même sur de grandes surfaces.

Armeria cespitosa

gazon d'Olympe

plombaginacées   5-10 cm   avril-mai

○ ☐

Origine : Pyrénées. **Description :** les feuilles courtes et étroites, qui font penser à de l'herbe, forment des coussins de verdure très denses. Les fleurs roses sont groupées en bouquets sur des tiges basses. **Exigences :** la plante aime une exposition ensoleillée, mais pas le soleil brûlant, apprécie un sol sableux, humeux, bien drainé. Elle ne supporte pas un excès d'humidité surtout en hiver. **Soins :** planter au printemps. Distance entre deux plantes : 15 à 20 cm. **Reproduction :** par bouture pratiquée en juillet et août. On cultive les jeunes plantes en pots. **Utilisation :** dans les rocailles avec d'autres plantes fragiles, dans les failles des rochers et dans les interstices des murs fleuris. **Variétés :** « Suendermannii », plus résistante, à grandes fleurs ; « Variabilis », fleurs rose clair.

Artemisia nitida

armoise

composées   10-20 cm   août-septembre   ○ ☐

Origine : Alpes du Sud-Est, Dolomites. **Description :** touffe basse, serrée, très décorative, à feuilles gris argenté, finement découpées. Les fleurs en épis sont discrètes. **Exigences :** sol perméable, caillouteux, calcaire et sec. Exposition ensoleillée. La plante ne supporte pas un excès d'humidité. **Soins :** planter au printemps. Distance entre deux plantes : 20 cm. **Reproduction :** par division des touffes ou par bouture. Cultiver les jeunes plantes en pots. **Utilisation :** dans les rocailles de tous genres, les failles des rochers ou en terrain plat. Aussi pour murs fleuris, jardins de bruyère et mini-steppes.

Aster alpinus

aster alpin

composées   15-20 cm   mai-juin   ○ ☐

Origine : Asie centrale, Europe, Amérique du Nord. **Description :** petit buisson compact ou coussin de feuilles longues, à bords lisses. Capitules bleu violet à disque central jaune. Les tiges peu feuillues n'ont chacune qu'un seul capitule. Il existe aussi des variétés blanches et roses. **Exigences :** sol perméable, sec, légèrement calcaire, exposition ensoleillée. **Soins :** planter au printemps ou à la fin de l'été. Distance entre deux plantes : 30 cm. **Reproduction :** par division des touffes, bouture et semis de printemps. **Utilisation :** dans les rocailles, dans les interstices des murs fleuris. **Variétés :** « Albus », blanc ; « Rex », plus courte à grandes fleurs bleues ; « Roseus superbus », rose.

Astilbe chinensis

astilbe de Chine

saxifragacées   15-25 cm   août-septembre   ○ ◑ ☐ ◣

Origine : Espagne. **Description :** touffe basse à feuilles divisées deux ou trois fois. Les petites fleurs rose lilas se présentent en panicules dressés, serrés et minces. **Exigences :** sol non alcalin, humeux, exposition à la mi-ombre légère ou au soleil. La plante supporte un sol sec. **Soins :** planter au printemps ou à la fin de l'été. Distance entre deux plantes : 25 à 30 cm. **Reproduction :** par division des touffes au printemps. **Utilisation :** en groupes plus ou moins grands dans les rocailles. La plante couvre bien le sol.

Aubrieta hybrida

aubriète

crucifères   5-10 cm   avril-mai   ○ ☐ ◣

Origine : on trouve l'espèce primitive des Balkans à l'Asie mineure. **Description :** plante formant un coussin de feuilles persistantes, lancéolées, duveteuses. A l'époque de la floraison, la plante entière est couverte de fleurs bleues, violettes ou roses selon la variété. Il existe des variétés doubles. **Exigences :** bon sol perméable, calcaire, emplacement ensoleillé. **Soins :** planter au printemps ou à la fin de l'été. Distance entre deux plantes : 20 à 30 cm. **Utilisation :** plante gazonnante pour les rocailles, aussi pour les interstices des murs fleuris. **Variétés :** « Bengale », semi-double varié ; « Manon », en mélange rose, lilas, bleu, pourpre, violet ; « Cascade », bleu, pourpre et rouge.

Bergenia cordifolia   **saxifrage à feuille en cœur**

saxifragacées   40-50 cm   avril-mai   ○ ◑ ☐ ◪

Origine : Corée. **Description :** plante robuste à grandes feuilles persistantes, rondes, vert foncé, brillantes, aux bords lisses. Les fleurs roses, blanches ou rouges se présentent en bouquet à l'extrémité des tiges épaisses. La plante se développe par l'extension de ses gros rhizomes. **Exigences :** sol perméable, modérément humide ; la plante supporte la sécheresse. Emplacement ensoleillé ou à la mi-ombre. **Soins :** planter au printemps ou en automne. Distance entre deux plantes : 40 cm. **Reproduction :** par division des touffes ou par bouture au printemps. **Utilisation :** comme plante solitaire dans les grandes rocailles, au bord de l'eau ou en groupes isolés.

Campanula carpatica   **campanule des Carpates**

campanulacées   15-25 cm   juin-juillet   ○ ◑ ☐

Origine : éboulis de pierres calcaires dans les Carpates. **Description :** touffe ou coussin de feuilles cordées, ovales, et de clochettes bleues ou blanches aux corolles grandes ouvertes. **Exigences :** sol perméable, plutôt sec, calcaire ; exposition ensoleillée ou mi-ombre légère. **Soins :** planter au printemps ou en automne. Distance entre deux plantes : 30 à 40 cm. **Reproduction :** l'espèce primitive par semis, les variétés par division des touffes. **Utilisation :** dans les failles des rochers, sur les surfaces planes dans les rocailles, ou dans les interstices des murs fleuris. **Variétés :** « Alba », blanc ; « Isabelle », violet clair ; « Couronne des Carpates », clochettes bleues très ouvertes ; « White Star », grandes clochettes blanches.

Campanula poscharskyana   **campanule poscharskyana**

campanulacées   20 cm   juin-septembre   ○ ◑ ☐ ◪

Origine : Dalmatie. **Description :** tiges couchées à feuilles cordées, grossièrement dentées. Les clochettes bleu lilas ouvertes en forme d'étoile, ont une longue floraison. **Exigences :** plante sans exigences particulières, pousse dans presque n'importe quel sol, aussi bien au soleil qu'à l'ombre. **Soins :** planter au printemps ou en automne. Distance entre deux plantes : 30 à 40 cm. **Reproduction :** par division des touffes. **Utilisation :** dans les rocailles de tous genres, jolie plante tombante, décorant bien les pierres et les murs fleuris. **Variétés :** « Stella », fleurs foncées, très découpées.

Cerastium tomentosum   **céraiste, oreille de souris**

caryophyllacées   15 cm   mai-juin   ○ ☐

Origine : Apennins, Sicile. **Description :** coussin très dense de feuilles étroites, lancéolées, veloutées. Les fleurs blanches ont des tiges grêles. Floraison abondante. **Exigences :** pousse dans un sol perméable, sec, calcaire à un endroit ensoleillé. **Soins :** planter au printemps ou en automne. Distance entre deux plantes : 30 à 40 cm. **Reproduction :** par division des touffes. **Utilisation :** dans toutes les espèces de rocailles, comme plante gazonnante et dans les interstices des murs fleuris. Plante tombante décorant bien les pierres.

Chrysanthemum arcticum

chrysanthème arcticum

composées   15-25 cm   septembre-octobre   ○ ◑ ◻

Origine : les Alpes. **Description :** plante courte à feuilles découpées, gris vert. Les fleurs blan ches ou rouges en forme de marguerite ont des tiges peu élevées. **Exigences :** sol perméable humeux, avec du calcaire et de l'humidité en suffisance. Endroit ensoleillé ou légèrement à l'ombre. Plante intéressante pour la durée de sa floraison. **Soins :** planter au printemps ou e automne. Distance entre deux plantes : 20 à 30 cm. **Reproduction :** par division des touffes o par bouture au printemps. **Utilisation :** en petite ou grande surface dans les rocailles. **Variété** « Roseum » **(1)**, rose.

Convallaria majalis

muguet

liliacées   15-20 cm   mai   ○ ◑ ◻

Origine : Europe, Amérique du Nord, et zone tempérée de l'Asie. **Description :** feuilles ver foncé à bords lisses, lancéolées et ovales. Les clochettes blanches se présentent en grappe long d'une tige mince. Parfum agréable. Si les conditions de culture sont bonnes, la plante s développe souvent de façon envahissante. **Exigences :** bon sol perméable, avec humidit modérée, endroit mi-ombragé à ensoleillé. **Soins :** planter au printemps ou à la fin de l'été Distance entre deux plantes : 30 cm. **Reproduction :** par division des touffes et des rhizome **Utilisation :** dans les endroits mi-ombragés des rocailles. A planter aussi aux pieds des arbre et des buissons. Fleur à couper très appréciée.

Cypripedium calceolus

cypripédium, sabot de Vénus

orchidées   40-50 cm   mai-juin   ◑ ◻

Origine : forêts de feuillus des préalpes d'Europe. **Description :** les tiges ont des feuilles ovale lancéolées à nervures marquées, et portent chacune de une à trois fleurs. Celles-ci ont des péta les brun rouge et une labelle jaune citron en forme de pantoufle, portant une tache rouge su la partie inférieure. La plante ne pousse que tardivement au printemps. **Exigences :** sol per méable, humeux, calcaire, avec de l'humidité en suffisance. Endroit mi-ombragé. **Soins** planter au printemps. Distance entre deux plantes : 30 à 40 cm. **Reproduction :** par séparatio des jeunes pousses au printemps, quand la plante commence à croître. Reproduction par semi possible, mais très lente. **Utilisation :** pour les endroits humides, mi-ombragés des grande rocailles.

Dianthus alpinus

œillet des Alpes

caryophyllacées   10-15 cm   juillet-août   ○ ◻

Origine : Alpes orientales. **Description :** touffe basse, drue, de feuilles allongées ; grande fleurs plates, solitaires à l'extrémité d'une tige courte. Un cercle d'un ton plus foncé entoure l centre de chaque fleur. **Exigences :** il faut à la plante un mélange de terreau de feuilles sableu et de gravier de pierres calcaires, bien drainé, ainsi qu'un emplacement à l'est dans les rocail les. **Soins :** planter au printemps. Distance entre deux plantes : 20 cm. **Reproduction :** pa semis au printemps ; on cultive les jeunes plantes en pots. **Utilisation :** surtout dans les rocai les, dans les failles des rochers. **Variété :** « Albus », blanc.

Dianthus deltoides

œillet deltoïde

caryophyllacées   15-25 cm   juin-septembre   ○ ☐

Origine : Europe, Asie. **Description :** coussin touffu de tiges couchées à petites feuilles étroites. Fleurs simples, blanches, roses ou rouges à l'extrémité de tiges minces. **Exigences :** sol perméable, calcaire, plutôt sec, exposition ensoleillée. **Soins :** planter au printemps ou à la fin de l'été. Distance entre deux plantes : 25 à 30 cm. **Reproduction :** par bouture après la floraison aussi par semis. **Utilisation :** dans les rocailles, dans les interstices des murs fleuris, en tapis de fleurs dans les parties de jardin un peu sauvages. **Variétés :** « Albus », fleurs blanches avec des yeux rouge carmin ; « Brillante », rose carmin ; « Splendens », fleurs rose carmin foncé feuilles vert brun.

Dianthus gratianopolitanus

œillet de Grenoble

caryophyllacées   15-25 cm   mai-juin   ○ ☐

Origine : Europe. **Description :** épais coussin de feuilles étroites, dures, gris vert. Les fleurs assez grandes sont simples ou semi-doubles, blanches, roses ou rouges, unicolores ou avec un œil de ton différent. **Exigences :** sol argileux, calcaire, endroit ensoleillé, plutôt sec. **Soins :** planter au printemps ou à la fin de l'été. Distance entre deux plantes : 30 à 40 cm. **Reproduction :** par bouture à la fin de l'été ou par semis au printemps. **Utilisation :** à un endroit ensoleillé des rocailles, des murs fleuris ou des parties de jardin un peu sauvages.

Dodecatheon meadia

primulacées   30-40 cm   mai-juin   ◑ ☐

Origine : Amérique du Nord. **Description :** d'une rosette de feuilles au niveau du sol s'élève une tige sans feuille, se terminant par des fleurs roses en cyme. Elles ressemblent à celles du cyclamen. Après la floraison, la plante entre dans une période de repos. **Exigences :** sol argileux, humeux, avec de l'humidité en suffisance et une mi-ombre légère. **Soins :** planter au printemps ou après la période de repos. Distance entre deux plantes : 25 à 30 cm. **Reproduction :** par semis au printemps ou par division des touffes au moment où la plante se met à pousser. **Utilisation :** en groupes dans les rocailles. **Variétés :** « Albiflorum », à fleurs blanches ; « Splendens », à grandes fleurs roses.

Draba aizoides

drave aizoïde

crucifères   5-10 cm   mars-avril   ○ ☐

Origine : les Alpes et les Carpates. **Description :** coussin dense, formé de feuilles vert foncé courtes, linéaires, groupées en rosette. Tige courte, mince, portant une grappe de petites fleurs jaune clair. **Exigences :** sol caillouteux, sec, perméable, exposition ensoleillée. **Soins :** planter au printemps. Distance entre deux plantes : 15 à 20 cm. **Reproduction :** par division des touffes au bouture en août. **Utilisation :** dans les failles des rochers et sur les petites surfaces planes des rocailles. Convient aussi pour les murs fleuris.

Edraianthus pumilio

édraianthus nain

campanulacées   4-6 cm   juin-juillet

○ □

Origine : montagnes du Sud de l'Europe. **Description :** coussin touffu de feuilles dures, e forme d'aiguilles, couvertes d'un fin duvet grisâtre. Clochettes dressées, bleu violet à pist assez gros. **Exigences :** sol rocailleux, perméable, calcaire. La plante ne supporte pas un excè d'humidité. **Soins :** planter au printemps. Distance entre deux plantes : 20 cm. **Reproduc tion :** par semis au printemps. On cultive les jeunes plantes en pots. Une fois mises en place, ne faut plus les dépacer. **Utilisation :** dans les fentes des rochers et dans les pierres poreuses Convient aussi pour murs fleuris.

Euphorbia myrsinites

euphorbe de Corse

euphorbiacées   10-20 cm   avril-juin

○ □

Origine : régions méditerrannéennes. **Description :** la plante a des tiges robustes, couchées couvertes de feuilles glauques, superposées comme les tuiles d'un toit. Les minuscules fleur jaunes sont à l'extrémité des tiges. A l'époque de la floraison, les feuilles supérieures se colo rent aussi en jaune. **Exigences :** sol perméable, pierreux, sécheresse et soleil sont nécessaires **Soins :** planter au printemps ou au début de l'automne. Distance entre deux plantes : 30 40 cm. **Reproduction :** par division des touffes, par bouture, le plus facilement par semis. O cultive les jeunes plantes en pots. **Utilisation :** aux endroits ensoleillés des rocailles et dans le endroits un peu sauvages, mais secs. La plante se sème d'elle-même.

Gentiana clusii

gentiane de clusius

gentianacées   5-10 cm   mai-juin

○ □

Origine : des Alpes aux Carpates. En général, on cultive des espèces provenant de croise ments. Elles ont le même aspect, mais donnent de meilleurs résultats. **Description :** feuille vert foncé, ovales ou lancéolées, grandes clochettes dressées, sans tige ou à tige courte. L fleur est bleu foncé, mais la gorge est parfois plus claire. **Exigences :** sol argileux, caillouteux avec suffisamment de calcaire et d'humidité, soleil nécessaire. **Soins :** planter au printemps o à la fin de l'été. Distance entre les deux plantes : 20 à 30 cm. La plante apprécie de temps e temps de l'engrais dilué dans de l'eau. **Reproduction :** par division des touffes après la florai son ou par semis. **Utilisation :** sur les surfaces planes des rocailles ou pour les murs fleuris

Gentiana septemfida

gentianacées   20-25 cm   août-septembre

○ ◑ ◤

Origine : de l'Asie mineure à l'Iran, le Turkestan et les monts Altaï. **Description :** tiges cou chées, couvertes de feuilles vert foncé, ovales ; elles portent chacune à leur extrémité six à hui fleurs bleu foncé en forme de clochettes. Les bords sont profondément découpés et la gorg jaune clair est piquetée de taches foncées. **Exigences :** tout sol de jardin perméable, ayan assez d'humidité, soleil ou légère mi-ombre. **Soins :** planter au printemps ou à la fin de l'été Distance entre deux plantes : 30 à 40 cm. **Reproduction :** par division des touffes ou pa semis. **Utilisation :** dans les rocailles de tous genres, et les interstices des murs fleuris. **Varié tés :** la var. *logodechiana* est plus compacte, les fleurs ont une gorge tachetée de vert.

Globularia cordifolia

globulair

globulariacées   10-15 cm   mai-juin   ○ ⬜

Origine : du Sud des Alpes aux Carpates. **Description :** feuilles allongées en rosettes ; les tige dépourvues de feuilles se terminent par une fleur en boule, bleu lilas. **Exigences :** plante san aucune exigence. Pousse dans un sol perméable, calcaire, à un endroit ensoleillé. **Soins :** plan ter au printemps ou à la fin de l'été. Distance entre deux plantes : 20 à 30 cm. **Reproduction** par division des touffes, par bouture ou par semis. **Utilisation :** dans les failles des rochers, su les surfaces planes ou dans les endroits caillouteux du jardin de rocailles. **Variétés :** la var. *G trichosantha* se développe rapidement, et fleurit avec une grande abondance de fleurs d'ui bleu lumineux.

Helichrysum milfordiae

immortelle de Milfor

composées   5-7 cm   juin-juillet   ○ ⬜

Origine : Afrique du Sud. **Description :** plante en coussin, formée de petites rosettes de feuil les gris argenté, ovales. Les tiges courtes portent des boutons de fleurs roses qui deviennen blancs en s'ouvrant. **Exigences :** sol sableux, perméable, calcaire, bien drainé, car la plante n supporte pas un excès d'humidité. Emplacement ensoleillé situé à l'est dans le jardin de rocai les. **Soins :** planter au printemps. Distance entre deux plantes : 15 à 20 cm. **Reproduction** par division des touffes ou par bouture. **Utilisation :** dans les rocailles avec d'autres plante fragiles, surtout dans les failles des rochers et dans les pierres poreuses.

Hepatica nobilis

anémone hépatiqu

renonculacées   10-15 cm   mars-avril   ◐ ◪

Origine : Europe. **Description :** plante basse à feuilles lisses, persistantes et trilobées. Fleur simples ou doubles dans les coloris bleu, rose, rouge et blanc. **Exigences :** sol perméable humeux, avec de l'humidité en suffisance et une exposition à la mi-ombre. **Soins :** planter au printemps ou au début de l'automne. Distance entre deux plantes : 25 à 30 cm. Après la plan tation, les plantes mettent un certain temps à se développer. **Reproduction :** par division de touffes après la floraison. **Utilisation :** dans les endroits mi-ombragés et humides des rocailles aussi pour planter sous les arbres et les buissons, ou en groupes avec d'autres plantes aux exi gences identiques. **Variétés :** « Plena », bleu, double ; « Rosea Plena », rose, double « Rubra Plena », rouge double ; « Rosea », rose simple.

Hutchinsia alpina

cresson des chamoi

crucifères   5-10 cm   mai-juin   ◐ ◪

Origine : Pyrénées, Europe centrale, Carpates. **Description :** plante délicate à feuilles ver foncé, subdivisées en nombreux segments. Les petites fleurs blanches forment des grappes ser rées à l'extrémité des tiges courtes, sans feuilles. **Exigences :** sol humeux, caillouteux, avec de l'humidité en suffisance et une légère mi-ombre. **Soins :** planter au printemps. Distance entre deux plantes : 15 à 20 cm. **Reproduction :** par division des touffes et par semis, au printemp ou tout de suite après la récolte des graines. **Utilisation :** dans les failles des rochers, sur le petites surfaces planes des rocailles. **Variétés :** on cultive encore souvent *H. auerswaldii* plante originaire d'Espagne, qui forme des coussins touffus et a de plus grandes fleurs.

Hypericum olympicum   **millepertuis du Mont Olympe**

guttifères   20-30 cm   juin-juillet   ○ □

Origine : Sud-Est de l'Europe, Syrie, Asie mineure. **Description** : petite plante buissonnante à tiges dressées, couvertes de feuilles minuscules, bleu vert, lancéolées, tachetées. Fleurs jaunes assez grandes à étamines voyantes. **Exigences** : sol perméable, plutôt sec, emplacement ensoleillé. **Soins** : planter au printemps ou au début de l'automne. Distance entre deux plantes : 30 cm. **Reproduction** : par division, bouture ou semis. **Utilisation** : pour rocailles, murs fleuris, pour endroits secs et ensoleillés dans les parties un peu sauvages du jardin. **Variété** « Citrina », à fleurs jaune clair.

Iberis saxatilis   **ibéris des roches, thlaspi des roches**

crucifères   5-10 cm   mai-juin   ○ ◪

Origine : des Pyrénées au Sud de l'Europe. **Description** : Plante naine à tiges couchées, couvertes de feuilles étroites, vert foncé, lancéolées. Les fleurs blanches se tiennent en épis serrés, plats. A la défloraison, elles deviennent roses. Plante persistante à floraison abondante. **Exigences** : sol perméable, humeux, bien drainé, emplacement ensoleillé. **Soins** : planter au printemps. Distance entre deux plantes : 20 cm. L'ibéris se développe lentement, aussi est-il recommandé de pincer les tiges au début, pour étoffer la plante. **Reproduction** : par boutures après la floraison, mais elles s'enracinent difficilement. **Utilisation** : dans les rocailles et sur les murs fleuris.

Iris pumila   **iris nain**

iridacées   15-20 cm   avril-mai   ○ □

Origine : l'espèce primitive se trouve de l'Europe centrale au centre de l'Asie. On cultive surtout les variétés issues de croisements entre l'espèce primitive et d'autres, améliorées. Elles font partie du groupe *Iris chamaeiris*. **Description** : l'iris nain ressemble aux autres iris, mais il est plus court, tout en ayant de grandes fleurs. **Exigences** : sol normal, perméable, et plutôt sec, emplacement ensoleillé. **Soins** : planter soit en avril, soit après la floraison. Distance entre deux plantes : 30 cm. Tous les deux ans, il faut diviser les souches. **Reproduction** : par division des rhizomes en juillet ou à la fin de l'été. **Utilisation** : dans les rocailles ou en petits groupes dans les endroits un peu sauvages du jardin. **Variétés** : « Bride White », blanc ; « Cyanea », bleu violet foncé ; « Citraea », jaune clair ; « Orchid Flare », violet clair.

Lewisia cotyledon

portulacées   25-30 cm   juin-août   ○ □

Origine : Californie. **Description** : rosette de feuilles persistantes, assez grandes, étroites et dures. Les tiges ramifiées portent une quantité de fleurs blanches ou roses à lignes foncées. **Exigences** : sol perméable, sableux, humeux, non calcaire, bien drainé. Endroit exposé au soleil, mais pas desséché. La plante ne supporte pas l'humidité en hiver. **Soins** : planter au printemps. Distance entre deux plantes : 20 à 25 cm. Au printemps, la plante a besoin d'humidité et d'engrais. L'hiver, couvrir de feuilles. **Reproduction** : on sème au printemps, sous abri vitré et on cultive les jeunes plantes en pots. **Utilisation** : dans les rocailles en exposition à l'est, dans les failles des rochers et les murs fleuris.

Lewisia rediviva

portulacées   10 cm   mai-août   ○ ▢

Origine : partie occidentale de l'Amérique du Nord. **Description** : racine charnue en forme de carotte. Les feuilles allongées sont en rosette et entrent dans une période de repos dès la fin de la floraison. Les grandes fleurs roses sont solitaires à l'extrémité d'une tige courte. La plante est assez fragile et ne doit être cultivée que par un horticulteur expérimenté. **Exigences** : la plante ne supporte pas l'humidité, surtout en hiver. Elle pousse dans un sol sableux, sans calcaire, contenant de l'humus, à un endroit ensoleillé ou légèrement mi-ombragé. **Soins** : planter au printemps. Distance entre deux plantes : 15 cm. Il faut prévoir un sol bien drainé et l'hiver, protéger de l'humidité. **Reproduction** : par semis dès les graines récoltées. Cultiver les jeunes plantes en pots. **Utilisation** : dans les rocailles, aux endroits exposés à l'est.

Lewisia tweedyi

portulacées   20-25 cm   juin-juillet   ○ ▢

Origine : Amérique du Nord. **Description** : feuilles ovales, plus larges à leur extrémité, vert foncé. Elles entrent dans une période de repos après la floraison. Chaque tige porte trois ou quatre grandes fleurs rose pêche, à aspect soyeux. **Exigences** : sol perméable, sableux, humeux, sans calcaire. Endroit ensoleillé au soleil et, si possible, à l'est. L'hiver, protéger de l'humidité. **Soins** : planter au printemps dans les creux entre les pierres, tout en évitant que l'eau ne s'y accumule. **Reproduction** : par semis, dès la récolte des graines. Cultiver les jeunes plantes en pots. **Utilisation** : dans les rocailles, à un endroit réservé aux plantes fragiles.

Lysimachia nummularia   **lysimaque nummulaire**

primulacées   5-10 cm   mai-juillet   ○ ◑ ◢

Origine : Europe. **Description** : tiges couchées, couvertes de feuilles ovales, opposées. Les fleurs jaune grandes ouvertes sont situées à l'aisselle des feuilles. Si les conditions de culture sont bonnes, la plante se multiplie par enracinement des tiges. **Exigences** : plante sans exigence, qui aime aussi bien un sol humide qu'une exposition ensoleillée ou mi-ombragée. **Soins** : se plante à n'importe quelle période. Distance entre deux plantes : 30 cm. **Reproduction** : très facilement par division des touffes ou par séparation des jeunes pousses enracinées. **Utilisation** : convient comme plante gazonnante près des étendues d'eau ; plante tombante décorant bien les pierres. **Variété** : « Aurea », à fleurs jaunes.

Mimulus cupreus   **mimulus cuivré**

scrophulariacées   10-15 cm   juillet-septembre   ○ ◑ ◢

Origine : Chili. **Description** : plante basse, buissonnante à feuilles velues, collantes, ovales et lancéolées. Les tiges couchées s'enracinent facilement. Les fleurs sont orange cuivré, virant au jaune. **Exigences** : sol humeux, perméable, humide, endroit ensoleillé ou mi-ombragé. **Soins** : planter au printemps. Distance entre deux plantes : 25 cm. Couvrir l'hiver dans les régions à climat vif. **Reproduction** : par bouture en automne ; les jeunes plantes doivent passer l'hiver sous abri. **Utilisation** : jolie plante pour les endroits humides des rocailles et pour les bords des étendues d'eau.

Oenothera missouriensis

énothère glissante

onagracées   20-25 cm   juin-septembre   ○ ▢

Origine : régions méridionales d'Amérique du Nord. **Description :** la plante a des racines robustes et se développe assez tard au printemps. Les tiges couchées, ramifiées ont des feuilles étroites semblables à celles du saule. Longue floraison des fleurs jaune soufre. **Exigences :** la plante a peu d'exigences en ce qui concerne le sol, elle supporte bien la sécheresse et aime le soleil. **Soins :** planter au printemps ou en automne. Distance entre deux plantes : 60 cm. **Reproduction :** très facilement par semis au printemps. Cultiver les jeunes plantes en pots. **Utilisation :** dans les grandes rocailles, en groupes avec d'autres vivaces ou comme plante gazonnante avec des bulbeuses.

Opuntia rhodantha

figuier de Barbarie

cactacées   20 cm   juin-juillet   ○ ▢

Origine : Colorado, Nébraska, Utah. **Description :** plante formée de tiges aplaties en forme de raquette, d'environ 10 cm de long, et garnies de piquants. Les fleurs de 8 cm de diamètre sont rouge carmin. **Exigences :** endroit ensoleillé, chaud, sol perméable, sableux à mi-lourd. En hiver, la plante a besoin de sécheresse et doit être couverte. **Soins :** planter au printemps. Distance entre deux plantes : 25 à 30 cm. **Reproduction :** on détache une raquette et on la dépose bien à plat dans une caissette de terre perméable. Avec de la chaleur, les racines se forment rapidement. **Utilisation :** dans les rocailles avec d'autres plantes aimant la sécheresse.

Origanum vulgare

marjolaine bâtarde

labiées   30-40 cm   juillet-septembre   ○ ▢

Origine : prairies sèches et calcaires d'Europe et d'Asie occidentale. **Description :** plante formant des petits buissons serrés, qui, en se développant, finissent par se rejoindre. Les tiges ont des feuilles opposées, ovales, gris vert et très poilues. La plante est aromatique. Les petites fleurs rouge pourpre se tiennent en épis serrés à l'extrémité des tiges. **Exigences :** plante sans exigences, elle pousse dans un sol sec, perméable, calcaire, à un endroit ensoleillé, chaud et sec. **Soins :** planter au printemps ou en automne. Distance entre deux plantes : 30 à 40 cm. **Reproduction :** très facilement par division des touffes, par bouture ou en mettant en terre un morceau de la plante. Celle-ci est en général pourvue de racines sur sa face inférieure. **Utilisation :** on cultive au jardin des espèces basses, compactes, ou des espèces à feuilles multicolores. Plante très appréciée pour la durée de sa floraison et l'aspect décoratif de ses feuilles. À cultiver dans les grandes rocailles, sur les murs fleuris et dans les endroits un peu sauvages du jardin. **Variétés :** « Compactum », 15 à 20 cm de haut seulement, forme de beaux buissons. « Aureum » **(4),** même hauteur, mais les feuilles sont jaune d'or et les fleurs peu apparentes. Il ne faut pas arroser la plante lorsque le soleil brille, car les feuilles deviennent brunes.

Phlox subulata

phlox subul

polémoniacées   10-15 cm   avril-mai   ○ □ ◪

Origine : régions orientales de l'Amérique du Nord. **Description** : plante à feuilles persistante formant coussin. Les tiges couchées sont ramifiées et couvertes de feuilles étroites, dures e poilues. Les fleurs sont blanches, roses, rouges ou bleu lilas. Certaines sont unicolores d'autres ont un œil d'une autre couleur. La forme de la fleur est différente selon les variétés certaines ont des fleurs rondes, d'autres ont des pétales plus étroits, qui donnent à la fleu l'aspect d'une étoile. **Exigences** : bon sol de jardin, perméable, avec une humidité modérée e un emplacement ensoleillé. **Soins** : planter au printemps ou à la fin de l'été. Distance entre deux plantes : 30 cm. Par temps de gel, couvrir de branchages. **Reproduction** : par division des touffes ou par bouture après la floraison. **Utilisation** : plante tapissante convenant pou les petites et grandes surfaces dans les rocailles, aussi pour murs fleuris, bordures, pour rem placer le gazon ou comme élément dans un groupe de vivaces isolées. **Variétés** : « Atropurpu rea », pourpre à œil foncé ; « Blue Eyes », bleu lilas foncé ; « Daisy Hell », rose saumon œil rouge ; « G.F.Wilson », fleurs étoilées bleu lilas clair ; « Etoile du Matin » **(1)**, grande fleurs roses à œil bien visible ; « Temiscaming » **(2)**, rouge pourpre lumineux ; « Vivid » rose saumon.

Phyteuma comosum

raiponc

campanulacées   5-10 cm   juillet-août   ○ ◪

Origine : rochers calcaires des Alpes. **Description** : plante basse à feuilles gris vert, grossière ment dentées. De courtes tiges portent chacune une fleur bleu clair assez particulière, compo sée de pétales refermés, en forme de bouteilles, et d'où dépasse un long stigmate. **Exigences** sol calcaire, perméable, humide, caillouteux. Exposition ensoleillée, à l'est. **Soins** : planter a printemps dans les creux situés entre les pierres. Distance entre deux plantes : 15 cm. Protége des escargots. **Reproduction** : par semis d'août à septembre, dans un sol perméable. Cultive les jeunes plantes en pots. **Utilisation** : dans les endroits des rocailles réservés aux plantes fra giles, ou à la maison, dans une coupe.

Polygonum affine

persicaire affin

polygonacées   15-25 cm   août-septembre   ○ ◑ ☐

Origine : Himalaya. **Description** : plante à feuilles persistantes, à pousses rampantes, ligneu ses et feuilles brillantes, étroites, lancéolées, vert foncé. En automne, elles deviennent rouge ou brunes. Les tiges portent des épis serrés de petites fleurs roses qui virent au rouge pendan la floraison. **Soins** : planter au printemps ou à la fin de l'été. Distance entre deux plantes 25 cm. **Reproduction** : par division des touffes au printemps. **Utilisation** : pour garnir de surfaces planes dans les rocailles et dans les endroits un peu sauvages du jardin. **Variété** : var. *superbum* a des épis plus longs.

Primula auricula

primevère auricule, oreille d'ou

primulacées   10-15 cm   avril-juin   ○ [

Origine : Europe, rochers calcaires des Alpes, et des Apennins au Carpates occidentales. **De**
cription : rosette de feuilles dures, lisses, rondes ou ovales, à extrémité plus large que la bas
Les tiges sans feuille portent des bouquets de fleurs en large entonnoir, jaunes, parfumées. L
fleurs sont toutes tournées d'un même côté. **Exigences** : sol argileux, perméable, calcaire, pl
tôt sec, endroit ensoleillé. **Soins** : planter au printemps. Distance entre deux plantes : 20
25 cm. **Reproduction** : par semis au printemps. **Utilisation** : aux creux des rochers et à pl
dans le jardin de rocailles. Les gentianes hâtives se mélangent agréablement aux primevèr
auricules.

Primula Bullesiana hybrida

primevère Bullesian

primulacées   40-50 cm   juin-juillet   ◖ [

Origine : cette primevère est le résultat du croisement *P. beesiana* × *P. bulleyana*. **Descri**
tion : feuilles larges, lancéolées, irrégulièrement dentées. Les fleurs qui peuvent être jaune
orange, rouges, lilas ou violettes, sont disposées en verticille à l'extrémité d'une longue tig
Exigences : sol frais, humeux, exposition mi-ombragée. **Soins** : planter au printemps ou à
fin de l'été. Distance entre deux plantes : 30 à 40 cm. **Reproduction** : par semis au printemp
cultiver les jeunes plantes en pots. **Utilisation** : dans les endroits humides, mi-ombragés d
grandes rocailles et en groupes au bord de l'eau.

Primula cortusoides

primevère cortusoïd

primulacées   15-25 cm   avril-mai   ◖ [

Origine : monts Oural et monts Altaï. **Description** : rosette de feuilles rondes ou allongées c
laquelle s'élèvent des tiges portant chacune un groupe de petites fleurs roses à œil jaune. Tou
la plante est recouverte de poils fins. **Exigences** : sol humeux, avec suffisamment d'humidi
et une légère mi-ombre. **Soins** : planter au printemps ou à la fin de l'été. Distance entre deu
plantes : 25 à 30 cm. **Reproduction** : elle peut se faire par division des touffes, mais se fait su
tout par semis de printemps. **Utilisation** : en groupes dans les rocailles, mais aussi en group
de vivaces, avec d'autres espèces de primevères.

Primula denticulata

primevère denticulé

primulacées   mars-avril   ◖ [

Origine : Asie centrale et occidentale. **Description** : rosette de feuilles allongées, lancéolées
bords dentés, rugueuses au toucher. Les tiges dépourvues de feuilles, se terminent par un
boule de fleurs de couleur lilas. Il y a aussi des variétés blanches, roses, rouges ou violette
Exigences : bon sol de jardin avec de l'humidité en suffisance, exposition ensoleillée ou m
ombragée. **Soins** : planter au printemps ou en automne. Distance entre deux plantes : 30 c
Reproduction : par division des touffes, par bouture de racine ou par semis au printemps. U
lisation : dans les rocailles, seules ou en groupes, aussi parmi des groupes printaniers de viv
ces. **Variétés** : « Alba » (4), blanc ; « Atroviolacea », violet foncé ; « Delicata », rose clair
« Rubin », rouge foncé.

Primula elatior hybrida — **primevère des jardins à longue tige**

primulacées   25-30 cm   mars-mai   ◯ ◑ ▰

Origine : de l'Europe à l'Asie centrale. **Description** : les feuilles allongées, ovales, sont velues sur la face inférieure. Les fleurs plates, assez grandes terminent les tiges sans feuille. On cultive surtout des variétés dans les coloris blanc, rose, rouge, violet et jaune. **Exigences** : bon sol de jardin, riche, avec de l'humidité en suffisance et une légère mi-ombre. **Soins** : planter au printemps ou au début de l'automne. Distance entre deux plantes : 30 à 40 cm. **Reproduction** : par division des touffes à la fin de l'été, mais surtout par semis au printemps. **Utilisation** : dans les grandes rocailles, en groupes de vivaces, et comme fleur à couper. **Variétés** : les différentes variétés sont caractérisées par leur coloris : « Pacific » est une primevère américaine à très grandes fleurs.

Primula × pubescens — **primevère pubescente**

primulacées   20-30 cm   avril-juin   ◯ ◑ ▰

Origine : cette primevère provient du croisement de *P. auricula* et *P. hirsuta*. **Description** : feuilles lisses, rondes comme celles de *P. auricula* ; les fleurs violettes, rouges, roses ou jaunes sont cependant plus grandes et ont un centre jaune. La fleur est veloutée et les bords sont clairs. **Exigences** : sol de jardin perméable, plutôt argileux, avec une humidité modérée, emplacement ensoleillé, mais la mi-ombre convient aussi. **Soins** : planter au printemps à la fin de l'été. Distance entre deux plantes : 30 à 35 cm. **Reproduction** : par division des touffes ou par semis au printemps. **Utilisation** : dans les grandes rocailles ou parmi des groupes de vivaces.

Primula sieboldii — **primevère de Siebold**

primulacées   15-20 cm   mai-juin   ◑ ▰

Origine : Japon, Corée, Mandchourie. **Description** : grandes feuilles de 10 cm de long, ovales à allongées, velues. Les grandes fleurs blanches, roses, rouges ou rose violacé se tiennent en ombelle. **Exigences** : sol humeux avec de l'humidité en suffisance, emplacement mi-ombragé. **Soins** : planter au printemps ou à la fin de l'été. Distance entre deux plantes : 30 à 35 cm. **Reproduction** : par division des touffes ou par bouture après la floraison. **Utilisation** : dans les endroits humides et mi-ombragés, dans des groupes de vivaces hâtives, ou au bord de l'eau. **Variétés** : « Daphnis », rouge rosé vif ; « Miss Nelly Bernard », rouge carmin ; « Queen of the Whites », blanc pur ; « Robert Herold », rose violacé.

Primula vulgaris — **primevère acaule**

primulacées   10-15 cm   mars-avril   ◑ ▰

Origine : Europe. **Description** : une des plus belles primevères, très appréciée. Les feuilles ovales sont duveteuses, les fleurs sont solitaires à l'extrémité des tiges courtes. Plante tapissante à fleurs blanches, roses, rouges, jaunes, ou bleues, et œil jaune. **Exigences** : sol aéré, riche, humeux, frais, légère mi-ombre. **Soins** : planter au printemps ou en automne. Distance entre deux plantes : 30 à 40 cm. **Reproduction** : par semis au printemps ou division des touffes après la floraison. **Utilisation** : dans les rocailles ou parmi des groupes de vivaces hâtives. Cette plante convient pour la culture forcée en serre.

Pulsatilla vulgaris ssp. *grandis*

anémone pulsatille

renonculacées   15-20 cm   mars-avril   ○ □

Origine : Europe. Espèce spontanée de la flore, qu'on trouve dans les prairies sèches et ensoleillées à sol calcaire, surtout dans la zone des steppes. **Description :** les feuilles en rosette, à long pétiole, finement divisées, ne commencent à pousser qu'après la période de floraison. Les boutons de fleurs sont recouverts d'un épais duvet. Les tiges n'ont pas de feuilles, les sépales sont divisés et velus. Les grandes fleurs à six pétales ont une grande quantité d'étamines jaunes. L'espèce primitive a des fleurs violettes, les variétés horticoles existent en blanc, rose et rouge. La floraison terminée, il se forme des épis remplis de graines. Ils sont très décoratifs tant que les graines n'ont pas été dispersées par le vent. Les feuilles qui se développent après les fleurs, durent jusqu'en automne. **Exigences :** plante sans exigences particulières, très appréciée. Elle pousse aux endroits ensoleillés en sol calcaire et perméable. Elle supporte un peu d'humidité, et jusqu'à une certaine limite, une légère mi-ombre. **Soins :** planter au printemps ou à la fin de l'été. Distance entre deux plantes : 30 à 40 cm. On ne plante que des plantes ayant été cultivées préalablement en pot et ayant déjà un ou deux ans. Il ne faut plus déplacer les plantes qui sont en place depuis plus de trois ans ; si cela se produit, elles dépérissent petit à petit. La longévité est de quatre à six ans. **Reproduction :** par semis, tout de suite après la récolte des graines, pour qu'elles lèvent encore avant l'automne. Au printemps, on repique les jeunes plantes en pots. Ce n'est qu'en automne qu'elles sont prêtes à être mises en pleine terre. Les variétés qui ont une couleur différente de celle de l'espèce primitive doivent être cultivées séparément, car des croisements se produisent facilement et le type de plante obtenu ne correspond plus au type initial. Cette remarque concerne surtout les variétés blanches et rouges. **Utilisation :** dans les rocailles, soit comme plante solitaire, soit en petits groupes. Elles font beaucoup d'effet dans les mini-steppes où on les mélange avec des adonis, du thym et différentes graminées. **Variétés :** à part l'espèce primitive à fleurs violettes, il existe la variété blanche « Alba » **(2)**, la variété rose « Mrs van der Elst » et la variété rouge pourpre « Rubra » **(3)**.

Pulsatilla halleri ssp. *slavica*

pulsatille slave

renonculacées   20-25 cm   mars-avril   ○ □

Origine : Carpates. **Description :** une des plus belles pulsatilles. Les feuilles sont grossièrement divisées, les grandes fleurs bleu violet sont couvertes d'un duvet gris à la face inférieure. Elle fleurit plus tôt que *P. grandis* et ses fleurs sont plus grandes. **Exigences :** sol calcaire, sec, perméable, emplacement ensoleillé. **Soins :** planter au printemps ou à la fin de l'été. Distance entre deux plantes : 30 à 40 cm. **Reproduction :** exclusivement par graines, que l'on sème dès la récolte ou plus tard, au printemps. Cultiver les jeunes plantes en pots. **Utilisation :** excellente plante pour les rocailles de tous genres, ainsi que pour les mini-steppes et les endroits un peu sauvages du jardin.

Ranunculus illyricus

renoncule d'Illyri

renonculacées   30-40 cm   mai-juin   ○ ⬭

Origine : Europe, Asie. **Description :** plante rhizomateuse à racines courtes, épaisses. Feuille vert foncé à long pétiole, à trois lobes allongés, lancéolées. Les fleurs de 2 ou 3 cm de large s tiennent à l'extrémité d'une tige légèrement ramifiée. Elles sont d'un jaune lumineux, très bri lantes sur la face interne. Toute la plante est couverte d'un fin duvet grisâtre. **Exigences :** s perméable, plutôt sec, emplacement ensoleillé. **Soins :** planter au printemps ou à la fin d l'été. Distance entre deux plantes : 30 cm. **Reproduction :** par division des touffes ou pa semis. **Utilisation :** dans les grandes rocailles, dans le jardin de bruyère ou dans les endroits u peu sauvages.

Ranunculus parnassifolius

renoncule panassifoliu

renonculacées   5-10 cm   juin   ○ ⬭

Origine : Pyrénées, Alpes. **Description :** feuilles bleu vert, non découpées, ovoïdes, duvete ses sur les bords ; fleurs blanches souvent rougeâtres sur la face extérieure. Les tiges sont cour tes. **Exigences :** sol argileux, caillouteux, frais. En plaine, la plante est assez fragile. **Soins** planter au printemps. Distance entre deux plantes : 15 à 20 cm. **Reproduction :** par divisio après la floraison, ou par semis après la récolte des graines. Cultiver les jeunes plantes en pot **Utilisation :** aux endroits des rocailles réservés aux plantes fragiles. Le meilleur emplacemen est au bord d'un petit étang ou d'un ruisseau, où la plante trouve l'humidité dont elle a besoin

Santolina chamaecyparissus

santolin

composées   30-40 cm   juillet-août   ○ ⬭

Origine : régions occidentales de la Méditerranée. **Description :** arbrisseau semi-ligneux, petites feuilles persistantes, gris argenté, finement découpées. Les fleurs jaunes, en forme d boutons, sont doubles. La plante est aromatique. **Exigences :** exposition ensoleillée, s sableux, sec. La plante gèle facilement dans un sol humide. **Soins :** planter au printemps. Dis tance entre deux plantes : 30 à 40 cm, mais le plus souvent, c'est une plante solitaire. **Repro duction :** par bouture au cours de l'été. Cultiver les jeunes plantes en pots. **Utilisation :** dan les rocailles, les endroits un peu sauvages et secs du jardin, ou en petits groupes.

Saponaria × olivana

caryophyllacées   5-10 cm   juin-juillet   ○ ☐ ⬭

Origine : la plante est le résultat du croisement de *S. cespitosa* avec *S. pumila*. **Description** plante formant un coussin serré de petites feuilles vert foncé, lancéolées. Floraison abondant de fleurs roses. **Exigences :** plante sans exigences particulières, poussant dans un sol humide perméable, à un endroit ensoleillé. **Soins :** planter au printemps. Distance entre deux plantes 20 cm. **Reproduction :** par bouture en juin et juillet. **Variété :** « Bressingham », fleurs ros mauve à œil blanc et gorge brune, longue floraison.

Saxifraga Arendsii hybrida

saxifrage d'Arends

saxifragacées   10-15 cm   mai

Origine : plante hybride provenant de l'espèce *S. cespitosa*. **Description** : tapis serré de petites rosettes de feuilles minuscules. Les fleurs sont blanches, rouges ou roses. **Exigences** : sol humide, perméable, humeux, endroit mi-ombragé. La plante ne supporte pas le plein soleil. **Soins** : planter au printemps. Distance entre deux plantes : 15 à 20 cm. Si la plante présente des parties desséchées, il faut la remplacer. **Reproduction** : par division des touffes au printemps. **Utilisation** : pour endroits plats dans les rocailles. **Variétés** : « Bees Pink », rose carmin ; « Triomphe », rose foncé.

Saxifraga grisebachii

saxifrage grisebach

saxifragacées   10-20 cm   avril

Origine : Balkans. **Description** : la plante, qui est une des plus belles saxifrages de la section Engleria, forme d'assez grandes rosettes de feuilles dures, étroites, gris vert, en forme de langues. De chaque rosette s'élève une tige couverte d'écailles. Les fleurs rouge carmin, entourées de sépales également rouges, se tiennent à l'extrémité d'une tige recourbée. **Exigences** : sol lourd, perméable, contenant de la tourbe et des cailloux, emplacement ensoleillé ou mi-ombragé. **Soins** : planter au printemps. Distance entre deux plantes : 15 cm. L'hiver, couvrir légèrement la plante. **Reproduction** : par bouture et par séparation des rosettes secondaires. **Utilisation** : dans les anfractuosités des rochers et dans les pierres poreuses des rocailles. **Variété** : « Wisley Variety », plante luxuriante, fleurs de coloris très vif.

Saxifraga longifolia

saxifrage à longues feuilles

saxifragacées   haut. fleur : 70 cm   mai

Origine : Pyrénées. **Description** : en quelques années, la plante forme une rosette robuste, étoilée, composée de feuilles étroites, lancéolées, dures, vert foncé. Elle ne fleurit qu'après quatre ou six ans, et meurt après la floraison et la maturité des graines. Cette variété de saxifrage ne produit pas de rosettes secondaires, aussi faut-il toujours cultiver de nouvelles plantes. La tige solide porte de petites fleurs blanches piquetées de rouge. **Exigences** : sol calcaire, perméable, exposition ensoleillée, à l'est. **Soins** : planter au printemps. **Reproduction** : par semis provenant de plantes isolées, car les croisements sont fréquents. **Utilisation** : dans les creux des rochers et sur les murs fleuris.

Saxifraga oppositifolia

saxifrage à feuilles opposées

saxifragacées   3-5 cm   avril

Origine : l'Europe, la Sibérie, le Groenland et la région arctique de l'Amérique du Nord. **Description** : plante couchée à tiges rampantes, couvertes de petites feuilles dures, vert foncé, ovales et opposées. Les fleurs rose foncé se tiennent grandes ouvertes. **Exigences** : sol non perméable, avec de la tourbe, du compost et des cailloux, ainsi que de l'humidité en suffisance. **Soins** : planter au printemps. Distance entre deux plantes : 15 à 20 cm. **Reproduction** : par division des touffes ou par bouture. **Utilisation** : dans les creux des rochers, en exposition à l'est, et dans les pierres poreuses.

Sedum acre

sédum brûlant

crassulacées   5-10 cm   juin   ○ ☐

Origine : Europe, Asie. **Description** : plante basse, tapissante, garnie de petites feuilles char nues, ovales, disposées en spirale le long des tiges courtes. Fleurs étoilées, très nombreuses jaune vif, en corymbe. **Exigences** : plante sans exigences, poussant dans un sol sec et sableux en exposition ensoleillée. **Soins** : planter au printemps ou à la fin de l'été. Distance entre deu plantes : 20 cm. **Reproduction** : très facilement par division des touffes. **Utilisation** : dans le rocailles, comme plante tapissante facile à cultiver.

Sedum kamtschaticum

sédum du Kamtchatka

crassulacées   10-15 cm   juillet-août   ○ ☐ ☐

Origine : de l'Est de la Sibérie au Nord de la Chine. **Description** : plante basse, à tiges rami fiées, couvertes de feuilles charnues, ovales, vert foncé. Les petites fleurs jaune orangé se tien nent en ombelles à l'extrémité des tiges. **Exigences** : sol perméable et exposition ensoleillée ; l mi-ombre convient aussi. **Soins** : planter au printemps ou en automne. Distance entre deu plantes : 25 à 30 cm. **Reproduction** : par division des touffes ou par bouture au printemps o en été. **Utilisation** : sur les surfaces planes des rocailles, sur les murs fleuris et en groupes d vivaces. **Variétés** : à côté de l'espèce primitive, à feuilles vertes, il existe la variété « Variega tum » à feuilles jaunes.

Sedum spurium

sédum bâtard

crassulacées   10-15 cm   juin-août   ○ ◑ ☐

Origine : Caucase. **Description** : plante à port rampant, présentant des feuilles opposées charnues, dentées. Les fleurs roses sont en corymbe à l'extrémité des tiges. **Exigences** : sol d jardin perméable, exposition ensoleillée ou mi-ombragée. **Soins** : planter au printemps ou e automne. Distance entre deux plantes : 30 cm. **Reproduction** : par bouturage d'extrémités d rameaux au printemps. **Utilisation** : dans les rocailles, sur les murs fleuris et en groupes d vivaces. **Variétés** : « Album Superbum », fleurs blanches ; « Lidakense », fleurs rouge vi feuillage glauque ; « Schorbuser Blut » **(3)**, feuillage foncé, fleurs rouge carmin foncé.

Sedum telephium

crassulacées   40-60 cm   juillet-août   ○ ☐

Origine : de l'Europe à la Sibérie. **Description** : buisson de tiges dressées, non ramifiées, feuilles vert foncé, charnues, ovales, grossièrement dentées. Les petites fleurs rose pourpre s tiennent en larges corymbes étalés. **Exigences** : sol de jardin perméable, riche, avec de l'hum dité en suffisance. **Soins** : planter au printemps ou au début de l'automne. Distance entre deu plantes : 40 à 50 cm. **Reproduction** : par division des touffes au printemps ou par boutures d rameaux. **Utilisation** : dans les grandes rocailles, pour les plates-bandes herbacées ou en grou pes isolés. **Variétés** : « Joie d'Automne », fleurs brun rouge ; « Munstead Dark Red », fleur rouge sang, feuillage brunâtre.

Sempervivum hybridum

sempervivum, joubarbe

crassulacées   10-25 cm   juin-août   ○ ⊏

Origine : Europe. **Description :** rosettes de feuilles charnues, épaisses et dures, à extrémité pointues. Leurs coloris vont du vert au brun ou au brun rougeâtre, certaines étant même bicolores. Du centre de la rosette s'élève une hampe florale se terminant par des petites fleurs en corymbe. Les coloris changent selon la variété. La plante se reproduit par des rosettes secondaires. **Utilisation :** surtout dans les interstices entre les pierres et sur les murs fleuris. **Variétés :** « Smaradg », feuillage vert clair à extrémité rouge, fleurs roses ; « Alpha » **(1)**, feuillage brun clair, fleurs roses ; « Topas », feuillage rouge foncé, fleurs rouge carmin.

Soldanella carpatica

soldanelle des Carpates

primulacées   5-10 cm   avril-mai   ◑ ⊏

Origine : Carpates. **Description :** d'une touffe basse de feuilles vert foncé, lisses, pétiolées réniformes, s'élèvent des tiges sans feuilles se terminant par des clochettes bleu violet, finement frangées sur les bords. **Exigences :** sol humeux, perméable, calcaire, avec suffisamment d'humidité et une légère mi-ombre. **Soins :** planter au printemps. Distance entre deux plantes : 20 cm. **Reproduction :** par division en juillet ou en août, ou bien par semis au printemps. **Utilisation :** dans les creux des rochers, dans les éboulis humides et dans les endroits restés à l'état naturel, mais pas trop sauvages.

Stachys officinalis

labiées   30-60 cm   juillet-août   ○ □ ⊏

Origine : Europe et Asie mineure. **Description :** les feuilles pétiolées à bords dentés sont allongées, ovoïdes. Les tiges dressées portent une grappe de fleurs violet clair. Toute la plante est couverte de poils argentés. **Exigences :** pousse dans tout sol de jardin ayant de l'humidité en suffisance, mais la plante supporte aussi la sécheresse. Un endroit en pleine lumière lui convient bien. **Soins :** planter au printemps ou en automne. Distance entre deux plantes : 25 à 30 cm. **Reproduction :** par division des touffes au printemps ou en automne. **Utilisation :** dans les grandes rocailles, dans des massifs de vivaces et en groupes isolés. **Variété :** « Rosea (3), à fleurs roses.

Stachys olympica

labiées   15-25 cm   juin-juillet   ○ ⊏

Origine : Caucase, Iran. **Description :** plante basse à feuilles allongées, ovales, recouvertes d'un duvet velouté blanc, qui donne tout son charme à la plante. Les souches se développent rapidement et la plante s'élargit vite. **Exigences :** la plante n'en a que très peu, mais c'est en terrain sec et en exposition ensoleillée que ses couleurs sont les plus jolies. En terrain humide elle pourrit facilement. **Soins :** planter au printemps ou en automne. Distance entre deux plantes : 30 à 40 cm. On coupe les fleurs, car elles n'ajoutent rien à l'aspect décoratif de la plante. **Reproduction :** très aisément par division, à n'importe quelle époque. **Utilisation :** dans les grandes rocailles aussi en groupes isolés de vivaces.

Thymus serpyllum

serpole<

labiées   3-5 cm   juillet-septembre   ○ ⊏

Origine : Europe, Asie, Afrique du Nord. **Description** : plante rampante, très rase, forman
un tapis de petites feuilles ovales, vert foncé. Les petites feuilles rose pourpre se tiennent er
grappes minuscules sur les tiges et recouvrent toute la plante. Il y a des variétés à fleurs blan
ches ou rouges. **Exigences** : sol perméable, sec, plutôt pauvre, exposition en plein soleil
Soins : planter au printemps ou au début de l'automne. Distance entre deux plantes : 20 à
25 cm. **Reproduction** : très facilement par division. **Utilisation** : comme plante tapissant
dans les rocailles, entre les pierres des dallages, ou comme plante gazonnante. **Variétés**
« Albus », blanc ; « Coccinueus », rouge carmin ; « Splendens », rouge carmin.

Townsendia parryi

composées   5-15 cm   mai   ○ ◗ ⊏

Origine : Amérique du Nord. **Description** : d'une longue racine pivotante s'élèvent des roset
tes de feuilles allongées. Les fleurs à tiges courtes ont un disque central jaune et des pétale
allongées, rose lilas. **Exigences** : endroit ensoleillé, sol sableux avec des cailloux, bien drainé
Soins : planter au printemps. L'hiver, on recouvre les plantes d'une feuille de PVC, afin de le
garder bien au sec. **Reproduction** : par semis à faire au printemps ou en automne. Repique
ensuite en pots. Reproduction par bouture aussi possible. **Utilisation** : sur des talus secs, su
des éboulis et dans les creux des rochers. Aussi dans une rocaille en miniature. **Variétés** : on n
cultive que l'espèce primitive.

Tunica saxifraga

caryophyllacées   15-25 cm   juin-septembre   ○ ⊏

Origine : Sud de l'Europe, Asie mineure, Caucase. **Description** : plante basse, très ramifiée
couverte de petites feuilles étroites et pointues. Floraison abondante de petites fleurs ros
clair. L'espèce primitive se développe facilement et devient vite envahissante. **Exigences**
plante sans exigences particulières, pousse au soleil dans un sol perméable, sec, calcaire
Soins : planter au printemps. Distance entre deux plantes : 25 cm. **Reproduction** : l'espèc
primitive par semis, les variétés par boutures. Cultiver les jeunes plantes en pots. **Utilisation**
dans les rocailles, sur les murs fleuris, dans les endroits un peu sauvages. **Variétés** : « Alb
Plena », basse, fleurs blanches doubles ; « Rosette », fleurs roses, doubles.

Umbilicus spinosus

crassulacées   hampe florale : 25 cm   juin-juillet   ○ ⊏

Origine : Sibérie, Mandchourie, Mongolie. **Description** : grosses rosettes semblables à celle
du sempervivum. Les feuilles gris vert se terminent par un long piquant blanc, la fleur jaune s
tient à l'extrémité d'une longue tige. La rosette meurt après la floraison. **Exigences** : so
sableux, sec, emplacement bien exposé à la lumière, mais pas en plein soleil. **Soins** : planter a
printemps. Distance entre deux plantes : 15 cm. L'hiver, protéger par une légère couche d
feuilles. **Reproduction** : par séparation des rosettes secondaires que la plante ne fournit qu'e
nombre restreint. Aussi par semis. **Utilisation** : dans les fissures de rochers, au jardin d
rocailles.

Uvularia grandiflora

uvularia à grande fleu

liliacées 30 cm avril-juin

◑ ● ⬜

Origine : régions orientales de l'Amérique du Nord. **Description** : les tiges dressées, à feuill allongées, pointues, duveteuses sur la face inférieure, portent des fleurs jaunes, graciles. Ell peuvent avoir 4 cm de longueur. **Exigences** : pousse à la mi-ombre ou à l'ombre, dans un s humeux, pas trop calcaire, assez humide. **Soins** : planter au printemps ou au début c l'automne. Distance entre deux plantes : 25 à 30 cm. **Reproduction** : principalement par div sion des touffes à la fin de l'été. **Utilisation** : dans les grandes rocailles et dans les endroits u peu sauvages et ombragés.

Veronica prostrata

véronique couché

scrophulariacées 10-15 cm mai-juin

○ ⬜

Origine : Europe, Asie. **Description** : plante basse, gazonnante, à tiges garnies de feuill opposées, lancéolées, dentées. Petites fleurs bleues en grappes prenant naissance à l'aissel des feuilles. **Exigences** : sol sec, perméable, exposition ensoleillée. **Soins** : planter au prir temps ou à la fin de l'été. Distance entre deux plantes : 30 cm. **Reproduction** : par division de touffes au printemps ou en automne. **Utilisation** : à des endroits plats dans les rocailles, sur u mur fleuri, comme plante tapissante. **Variétés** : « Alba », blanc ; « Rosea », rose.

Vinca minor

pervenche petit

apocynacées 10-15 cm avril-mai

○ ◑ ⬜ ⬜

Origine : Europe. **Description** : plante persistante, poussant rapidement, ayant des tiges trè allongées, couchées, ramifiées, qui s'enracinent facilement. Les petites feuilles sont opposée ovales, dures et vert foncé ; les fleurs sont bleues. Plante couvrant bien le sol. **Exigences** plante sans exigences particulières, pousse dans un sol humeux, suffisamment humide, et à l mi-ombre, mais elle supporte aussi la sécheresse. **Soins** : planter au printemps ou en automne Distance entre deux plantes : 30 cm. **Reproduction** : facilement, par division des touffes o par bouture. **Utilisation** : à la mi-ombre dans les grandes rocailles, ou au pied des arbres et de buissons. **Variétés** : « Rubra », rouge ; « Variegata », à feuilles jaunes.

Viola lutea

violette à fleurs jaune

violacées 15-20 cm juin-août

○ ◑ ⬜

Origine : Europe. **Description** : feuilles rondes à ovales, tiges minces, fleurs jaune pur à dessi noir au centre. Floraison très abondante et de longue durée. **Exigences** : sol de jardin perméa ble, avec de l'humidité en suffisance, emplacement mi-ombragé ou en pleine lumière. **Soins** planter au printemps. Distance entre deux plantes : 20 cm. **Reproduction** : par semis au prin temps. **Utilisation** : dans les anfractuosités des rochers, ou sur les surfaces planes des rocailles aussi sur les murs fleuris.

Les plantes bulbeuses

Acidanthera bicolor

acidanthèr:

iridacées   60-100 cm   juillet-août

○ ⌐

Origine : Ethiopie. **Description** : plante bulbeuse ressemblant aux iris, mais la fleur est plu: légère. Les fleurs blanches ont une tache brune à l'intérieur de la gorge et répandent un par fum agréable. **Exigences** : endroit abrité, sol perméable, et aéré. **Soins** : planter seulement a début de mai à 6 ou 8 cm de profondeur. Il faut retirer les tubercules du sol après les première gelées automnales, les nettoyer et les mettre à l'abri dans un local ayant une température de 1 à 18°C. **Reproduction** : en cultivant les bulbilles issus de la plante mère. **Utilisation** : dans u: massif, en groupes avec des plantes annuelles et vivaces. **Variétés** : on cultive en général la vai *murielae* **(1)** à grandes fleurs en entonnoir.

Allium giganteum

ail géan:

liliacées   100-150 cm   juillet-août

○ ◑ □ ◪

Origine : Himalaya. **Description** : les fleurs roses en ombelle peuvent avoir 20 cm de diamè tre. **Exigences** : en altitude, il faut protéger la plante pendant l'hiver avec une couche de feui! les sèches. Il lui faut un terrain calcaire, et elle pousse dans un sol léger, perméable, à u: endroit ensoleillé. **Soins** : on plante les bulbes en septembre ou en octobre à 10 ou 15 cm d profondeur. Ils peuvent rester des années au même endroit. **Reproduction** : par bulbilles. S l'on procède par semis, il faut attendre trois ans pour avoir un bulbe donnant des fleurs.

Allium karataviense

ail du Turkesta:

liliacées   20-25 cm   avril-mai

○ ◑ □ ⌐

Origine : Turkestan. **Description** : la plante ne donne, en général, que deux ou trois grande feuilles bleu vert, ourlées de rouge. Les fleurs en ombelle sont gris rose et restent décorative après la floraison. **Exigences** : sol léger, humeux, endroit réchauffé. La plante apprécie u: sol calcaire. **Soins** : planter les bulbes de septembre à novembre, à 8 ou 10 cm de profondeur Dans les pays à climat vif, il convient, l'hiver, de protéger la plante des gelées, au moyen d branchages. Elle peut rester deux ou quatre ans au même endroit.

Anemone coronaria

anémone des fleuriste:

renonculacées   15-35 cm   mars-mai

◑ ◪

Origine : régions méditerranéennes. **Description** : les anémones à souche tubéreuse se caracté risent par des feuilles très divisées, et des fleurs ayant une grande quantité d'étamines et de pis tils. **Exigences** : sol humide, humeux, mais perméable. **Soins** : les petits tubercules sont plan tés au début de novembre, entre 5 et 8 cm de profondeur. Avant la plantation, il faut les fair tremper 24 heures dans de l'eau tiède. Après la floraison et la période de repos, on récolte le tubercules et on les garde au sec. Ils peuvent rester des années sans être plantés, tout en gai dant leur faculté germinative. **Reproduction** : par semis. Au bout de deux ans, on obtient de tubercules donnant des fleurs. **Utilisation** : surtout comme fleur à couper. **Variétés** : o trouve les anémones en mélange de coloris, sous le nom de « Anémone simple de Caen » e « Anémone double Sainte-Brigitte ».

Begonia × tuberhybrida

bégonia tubéreux hybride

bégoniacées   25-40 cm   juin-octobre

Origine : les plantes, qui sont à l'origine de ce croisement, proviennent d'Amérique du Sud
Description : des tubercules ronds et aplatis, s'élèvent des tiges aqueuses à grandes feuille
dissymétriques. **Exigences :** sol légèrement acide, humeux, riche. **Soins :** on ne plante que fi
mai les bégonias préalablement cultivés en serre, car ils sont très sensibles aux gelées. **I**
convient, une fois par semaine, d'arroser les pieds des plantes avec une solution à 0,1 %
d'engrais complet. On retire les plantes du sol après les premières gelées, on nettoie les tuber
cules, et on les garde jusqu'au printemps suivant dans un local bien sec, dont la températur
ne peut dépasser 7 à 8°C. **Reproduction :** on peut diviser les gros tubercules, de façon à ce qu
chaque partie possède au moins un œil. Les jardiniers les reproduisent en février, par semi
réalisés en caissettes dans une serre chaude. **Utilisation :** pour massifs décoratifs dans les jar
dins et les parcs, comme ornement des pierres tombales, pour la décoration de fenêtres et d
vasques fleuries. L'exposition qui leur convient le mieux est le côté est au nord des maisons
Variétés : on divise en plusieurs groupes la grande quantité de variétés améliorées. Par exem
ple : « Gigantea » à grosses fleurs simples, « Gigantea flore plena » à grosses fleurs doubles
« Gigantea fimbriata » à fleurs doubles, les pétales étant frangés sur les bords ; « Multi
flora » à petites fleurs simples et « Pendula flore plena » à fleurs doubles retombantes. Cha
cun de ces groupes comprend des variétés caractérisées par leur coloris, soit blanc, rose, roug
carmin, rouge écarlate et rouge foncé **(1)**, orange, jaune **(2)**.

Canna Indica hybrida

canna ou balisier

cannacées   60-200 cm   juin-septembre

Origine : Amérique centrale. **Description :** plante à gros rhizomes, d'où s'élèvent de grande
feuilles très allongées, ovales, et une hampe florale se terminant par une fleur rouge, orange
rose ou jaune. **Exigences :** sol profond, humeux, riche, endroit réchauffé et abrité. **Soins**
planter au jardin seulement en mai ou au début de juin, lorsque les risques de gelées ont défini
tivement disparu. On peut déjà, dix semaines avant la plantation en pleine terre, planter le
rhizomes en caissettes, à une température de 15 à 18°C. On les plante ensuite dans les massif
à une profondeur de 8 à 12 cm, en les espaçant de 40 à 70 cm. Après les premières gelées, o
coupe les tiges à environ 10 cm du niveau du sol, on retire les rhizomes avec leur motte d
terre, et on les garde tout l'hiver à l'abri, à une température de 5 à 10°C. **Reproduction :** e
divisant les gros rhizomes, tout en veillant à ce que chaque morceau détaché possède au moin
un œil. **Utilisation :** comme plante solitaire ou en petits groupes de plusieurs plantes, disposé
sur une pelouse. Plante très appréciée dans les parcs et en massifs sur une place publique. O
peut aussi en garnir de grandes vasques ou autres récipients, pour décorer les terrasses ou de
coins de repos, près des maisons. **Variétés :** il existe actuellement une quantité de belles varié
tés, parmi lesquelles on peut citer « Hamburg », rose saumon à feuilles rouges ; « J.B. va
der Schoot », jaune citron à points rouges et feuilles vertes ; « Reine Charlotte » **(3)**, pétale
rouge écarlate ourlés de jaune ; « The President » **(4)**, rouge écarlate clair, à feuilles vertes

Chionodoxa luciliae

chionodox

liliacées   10-15 cm   mars-avril   ○ ◑ ⬠

Origine : Asie mineure. **Description** : petite plante bulbeuse ayant des feuilles étroites e forme de gouttière. Les fleurs étoilées se tiennent en grappes tournées d'un même côté. **Ex** **gences** : sol humide, profond, humeux. **Soins** : on plante les bulbes de septembre à la m novembre à une profondeur de 6 à 8 cm. Si un changement d'emplacement s'impose, on fait à la mi-juillet. **Reproduction** : par les bulbilles de la plante mère ou par semis. Les cond tions de culture étant bonnes, la plante se sème d'elle-même. **Utilisation** : dans les rocailles c sous des arbustes d'ornement. **Variétés** : l'espèce primitive a des fleurs bleues à œil blanc. L var. *alba* est blanche, la var. *rosea,* rose.

Colchicum hybridum

colchiqu

liliacées   10-25 cm   août-octobre   ○ ◑ ☐ ⬠

Origine : Asie mineure. **Description** : les fleurs en forme de calice fleurissent sans feuilles celles-ci n'apparaissent qu'au printemps. **Exigences** : de la sécheresse l'été et assez d'humidi au printemps. Sol profond, riche. **Soins** : planter déjà à la mi-août, à une profondeur de 10 20 cm. Déplanter en juillet si nécessaire. **Reproduction** : par division des bulbes. **Utilisation** entre des plantes vivaces ou des graminées ornementales, aussi dans les rocailles. **Variétés** : c cultive surtout « Reine d'Automne », rose violacé à gorge blanche, « Lilac Wonder » (2 rose lilas et « Waterlily », à fleurs rose lilas, doubles.

Crocosmia masonorum

crocosmia de Montbréti

iridacées   80-100 cm   juillet-août   ○ ⬠

Origine : Afrique du Sud. **Description** : plante bulbeuse à feuilles en forme d'épée. Fleurs e entonnoir, se tenant en épis sur la tige. **Exigences** : bon sol de jardin. **Soins** : planter de même façon que les iris. Si les plantes se trouvent à un endroit non abrité, il faut prévoir un protection, pour que le vent ne les déracine pas. **Reproduction** : en cultivant les bulbilles pr venant de la plante mère. Au bout de deux ans, ils produisent eux-mêmes des fleurs. L'hive on garde les bulbes à l'abri, dans un local aéré, à une température de 5 à 8°C. **Utilisation** : e groupes, entre des vivaces basses ou des annuelles. Aussi comme fleur à couper. **Variétés** l'espèce primitive a des fleurs d'un orange lumineux.

Crocus chrysanthus

iridacées   5-8 cm   mars   ○ ◑ ⬠

Origine : régions orientales de la Méditerranée. **Description** : bulbes presque sphériques, do nant de longues feuilles étroites et des fleurs bombées à tiges courtes. **Exigences** : sol permé ble, avec des matières nutritives en suffisance. L'été, la plante a besoin de sécheresse. **Soins** on plante les crocus en septembre et en octobre, à une profondeur de 6 à 8 cm, et on peut l laisser à la même place pendant trois ou quatre ans. **Reproduction** : en cultivant les bulbill issus de la plante mère. **Utilisation** : l'effet le meilleur s'obtient en les plantant entre des viv ces courtes ou dans les rocailles. On peut aussi les disposer aux pieds des arbustes d'ornemen **Variétés** : l'espèce primitive a des fleurs jaunes à gorge jaune d'or. Elle a donné naissance une série de variétés dans les coloris blanc crème à brun bronzé ou bleu lilas.

Crocus neapolitanus (C. vernus) — crocus printanier

iridacées   8-15 cm   mars-avril   ○ ◑ ◩

Origine : les espèces primitives de nos crocus de jardin proviennent des régions méditerranéennes. **Description** : les plantes ont des bulbes aplatis, de différentes grandeurs, et de longues feuilles étroites, souvent garnies d'une ligne blanche, qui apparaît soit à la floraison, soit après. Les fleurs ont des tiges courtes et donnent l'impression de sortir directement du sol. Elles sont entourées d'une fine gaine jusqu'au moment de la floraison. **Exigences** : sol perméable, riche ; il faut de l'humidité en suffisance au printemps et en automne, mais l'été, de la sécheresse. **Soins** : on plante les crocus la deuxième quinzaine de septembre ou en octobre, à une profondeur de 6 à 8 cm. Les bulbes peuvent rester des années au même emplacement. S'ils doivent en changer, on les retire du sol à la fin de juin ou en juillet, les bulbes nettoyés étant mis dans un abri sec ou frais jusqu'à la prochaine plantation. **Reproduction** : en cultivant les bulbilles issus de la plante mère. **Utilisation** : en massifs, avec des plantes vivaces, entre des vivaces courtes, aux pieds des arbustes et dans la rocaille. On peut aussi les planter parmi le gazon d'une pelouse, mais il faut alors renouveler les bulbes de temps en temps, car les premières tontes des pelouses ne leur sont pas favorables. Les espèces à grandes fleurs servent à la décoration des fenêtres et des balcons. Elles peuvent aussi être forcées, en pots ou en coupes. **Variétés** : le choix actuel des variétés résulte des nombreuses améliorations apportées à l'espèce. On cultive surtout « Dutch Yellow », jaune d'or à fleurs plus petites ; « Enchanteresse », bleu porcelaine à traces argentées ; « Jeanne d'Arc », blanc à base violet clair ; « Kathleen Parlow », blanc neige ; « Little Dorrit », lilas clair argenté ; « Sky Blue »(1), bleu ciel ; « Pickwick », blanc à lignes bleu foncé ; « Striped Beauty » (2), fleurs gris argenté à lignes violettes et base bleu foncé ; « Violet Vanguard » (3), lilas violacé.

Cyclamen purpurascens (C. europaeum) — cyclamen d'Europe

primulacées   8-15 cm   août-septembre   ◑ ● ◩

Origine : Centre et Sud de l'Europe. **Description** : les bulbes arrondis et aplatis forment des racines ne se dirigeant que vers le haut ou vers les côtés. Les feuilles réniformes, peu nombreuses, sont persistantes et présentent un dessin argenté sur le dessus, le dessous étant rouge. Les fleurs ont 1,5 cm de diamètre et leur parfum est agréable. Le fruit est une capsule sphérique remplie de petites graines à écorce foncée. Jusqu'au moment où elles sont mûres, la tige reste enroulée autour de la capsule. **Exigences** : emplacement réchauffé, abrité, à l'ombre ou à la mi-ombre, sol perméable, humeux. **Soins** : planter au printemps, de façon que la partie supérieure du bulbe ne soit recouverte que d'une couche de 3 cm de terre. Plus ils restent longtemps au même emplacement, plus la plante prospère. **Reproduction** : par semis en coupe dans une serre froide, ou sur couche. **Utilisation** : dans les rocailles ou aux pieds des arbustes d'ornement. **Variétés** : on ne cultive que l'espèce primitive à fleurs rose pourpre.

Dahlia hybrida (D. × cultorum, D. variabilis) dahli

composées   30-180 cm   juillet-octobre   ○ ◪

Origine : Mexique. **Description :** des racines tubéreuses s'élèvent des tiges creuses à feuille opposées, le plus souvent trilobées. Les fleurs sont composées de pétales en forme de langu ou enroulés sur eux-mêmes. Elles se tiennent à l'extrémité de longues tiges prenant naissance à l'aisselle des feuilles. **Exigences :** les dahlias n'ont pas d'exigences particulières, à conditio que le sol ne soit pas trop lourd ou trop humide. Il doit être amélioré avec du bon compost e de la tourbe mélangée à de l'engrais. En automne, on retire les plantes du sol. Les dahlias pré fèrent un endroit abrité. **Soins :** les dahlias étant sensibles aux gelées, on ne plante les tubercu les qu'à la fin d'avril ou au début de mai. Les dahlias à hautes tiges et à grand développemen se plantent à une distance de 60 à 80 cm les uns des autres ; pour les espèces moins hautes, à développement plus réduit, il faut compter 30 à 50 cm entre deux plantes. Une fois plantés, le dahlias doivent être recouverts d'une couche de terre de 8 à 10 cm. Les dahlias provenant d boutures ne se plantent qu'après le 20 mai. Le tuteur doit être mis en terre en même temps qu les tubercules. Il ne faut laisser à la plante que les trois pousses les plus résistantes, afin qu'ell fleurisse abondamment et donne de grosses fleurs. De temps en temps, on aère le sol et o arrose s'il fait sec. Jusqu'à la fin de juillet, on peut ajouter un bon engrais complet. Il es nécessaire de supprimer toutes les fleurs fanées. Dès que les premières gelées automnales ab ment la partie visible de la plante, il faut couper les tiges à 10 cm au-dessus du niveau du sol, e retirer les tubercules. On les retourne pour faire sortir l'eau conservée dans les tiges et on le laisse sécher sur la plate-bande. Ensuite, on les débarrasse de la terre, et on les garde à l'abr des gelées, dans un endroit frais, dont la température ne peut dépasser 4 à 6°C. Les petit tubercules et ceux des nouveautés horticoles se gardent dans une couche de sable, de sciure e de tourbe sèche, pour qu'ils ne se dessèchent pas trop. Pendant l'hiver, il faut régulièremen inspecter les tubercules, et supprimer les parties malades ; on frotte ensuite avec de la poudr de charbon de bois la partie qui vient d'être mise à nu. **Reproduction :** par division des tuber cules chaque fragment devant posséder un morceau du collet avec un bourgeon. Aussi possi ble par boutures provenant de plantes en train de croître. Pour cela, on met, en février déjà les plantes mères en végétation sur une couche de sable et de tourbe arrosée légèrement. Pa une température de 15 à 20°C, les tubercules commencent à se développer. Dès que les boutu res ont trois ou quatre feuilles, on les coupe et on les plante dans des godets remplis de sable Elles s'enracinent facilement en une ou deux semaines, par une température de 15 à 20°C. Le dahlias à fleurs simples peuvent se reproduire par semis. Ceux-ci se font en mars, sur couche **Utilisation :** les dahlias sont des fleurs à couper très appréciées, même si leur floraison n'es pas de longue durée. On les plante en groupes plus ou moins grands dans les massifs. Les espè ces hautes s'utilisent en exemplaires isolés ou comme garniture dans les parties plus insign fiantes du jardin. Les espèces courtes sont utilisées comme bordures de plates-bandes, comm décoration de fenêtres ou de vasques fleuries. **Variétés :** l'assortiment est vaste et est sujet à des changements assez fréquents.

• Les « dahlias à fleur de cactus » ont des fleurs doubles. Les pétales sont enroulés sur eux mêmes et forment de longues pointes. On peut citer les variétés « Alice » **(3)**, rouge carmi clair ; « Bébé Fontenau » **(2)**, rose clair ; « Bacchus », rouge sang ; « Chorale » **(4)**, blanc « Firebird », rouge feu ; « Fortune », rose foncé ; « Golden Automn », jaune or ; « Golde Heart », rouge orangé à centre jaune or ; « Madame Elisabeth Sawyer », rose carmin « Orfeo », rouge bordeaux ; « Piquant », rouge vermillon à pointes blanches.

• Les « dahlias mignons » **(1)** ont des capitules simples, formés sur les bords de pétales e forme de langue, et, au centre, de courts pétales jaunes enroulés sur eux-mêmes. Par exem ple : « Golden River », jaune lumineux ; « Jet », jaune abricot ; « Murillo », rose lilas à cer cle rouge-noir ; « Nelly Gierlings », rouge écarlate lumineux ; « Sneezy », blanc pur « Soleil », jaune canari ; « Tapis Rouge », rouge lumineux.

• Les « dahlias décoratifs » ont de grandes fleurs doubles, composées de larges pétales er forme de langue. Parmi les variétés, on peut citer : « Nuit Arabe », rouge-noir ; « Branda ris », orange écarlate à centre jaune d'or ; « Frère Justin », jaune orangé foncé à centre jaune ; « Chinese Latern », rouge orangé à centre jaune ; « Class », jaune ; « Gloire de Heemstede », jaune soufre pur ; « Maison d'Orange », orange ; « Lavender Perfection » lilas clair ; « Majuba », rouge carmin foncé ; « Nalada » (1), rouge orangé clair à pointe. blanches ; « Red and White », rouge à tache blanche ; « Requiem », pourpre à centre foncé « Scarlet Beauty », rouge écarlate ; « Thiomphe de Séverin », rose saumon à centre plu foncé ; « Pays Suisse », rouge à pointes blanches ; « Tempête de Neige », blanc pur ; « Tar tan », violet pourpré foncé à pointes blanches

• Les « dahlias pompon » ont des fleurs doubles, composées de pétales tuyautés formant ur pompon. On cultive surtout les variétés suivantes : « Albino », blanc pur ; « Barbara Pur bis », blanc ; « Bell Boy », rouge lumineux ; « Capulet », violet pourpré foncé à ombres bru nes ; « Diblik » (4), rouge ; « Glow », orange ; « Héloïse », marron foncé ; « Kasparek » (3), rouge orangé ; « Lipoma », rose lilas ; « Magnificat », rouge orangé sur fond jaune « New Baby », orange à centre jaune ; « Odin », jaune pur ; « Punch », violet.

• Les « dahlias à collerette » ont un capitule simple, mais le centre est garni de ligules courte. et tuyautées formant une collerette de tons dégradés. On peut citer : « Accuracy », orange foncé à collerette jaune citron ; « Cancan », pourpre clair à collerette crème ; « Clair de Lune », jaune verdâtre à collerette blanche ; « Grand Duc », rouge foncé à pointes jaunes e collerette blanc jaune ; « La Cierva » (2), bordeaux à collerette blanche ; « La Gioconda » rouge écarlate clair à collerette blanche ; « Libretto », rouge foncé velouté à collerette blan che ; « Musique », rose à collerette blanc pur.

• Les « dahlias anémones » ont des capitules simples ou doubles, dont le centre est garni de longues ligules jaunes. On cultive surtout « Bridal Gown », blanc crème ; « Brio », rouge orangé ; « Guinée », jaune foncé à centre clair ; « Miel », rose bronzé à centre jaune « Magique Favorite », rouge foncé ; « Roulette », rose pourpre.

Eranthis hyemalis

éranthe

renonculacées   7-15 cm   février-mars   ○ ◻

Origine : Sud de l'Europe et Asie Mineure. **Description** : plante à tubercules ; les fleurs qu
ont 2 à 3 cm de diamètre ne s'ouvrent que par temps ensoleillé. Les feuilles palmées n'appa
raissent qu'après la floraison. **Exigences** : sol normal de jardin. **Soins** : on plante les tubercu
les en septembre et en octobre à 5 ou 7 cm de profondeur. Ils peuvent rester à la même plac
pendant des années. On peut les déplanter après la période de repos des feuilles. **Reproduc
tion** : par semis en caissettes ; on obtient au bout de deux ou trois ans des plantes donnant de
fleurs. **Utilisation** : au pied des arbustes d'ornement, dans un massif de fleurs printanières o
dans une rocaille. **Variétés** : à côté de l'espèce primitive, on cultive aussi la variété « Gloire »
grandes fleurs et à feuillage vert, ainsi que « Guinea Gold » à grandes fleurs et à feuillag
bronzé.

Eremurus robustus

quenouille de Cléopâtre

liliacées   200-300 cm   juin-juillet   ○ ◻ ◻

Origine : Turkestan. **Description** : grosses racines charnues donnant naissance à une roset
de feuilles allongées, devenant ensuite retombantes. Les fleurs en forme d'étoiles se tienner
en long épi serré sur une tige épaisse et haute. **Exigences** : sol léger, perméable, endroit chau
et ensoleillé. **Soins** : planter en septembre ou en octobre dans un sol bien drainé, entre 8 e
15 cm de profondeur. Il est conseillé de ne déplacer les plantes que quatre ou six ans après l
plantation et de le faire au mois d'août de préférence. **Reproduction** : par semis, les plantes n
fleurissant que quatre à six ans plus tard. **Utilisation** : comme plante solitaire au milieu d'un
pelouse, ou entre des vivaces courtes. Aussi comme fleur à couper convenant bien pour d
grands vases. **Variétés** : on ne cultive que l'espèce primitive. Celle-ci a des fleurs roses q
deviennent blanches, et elle présente une nervure centrale brunâtre sur les pétales.

Eremurus stenophyllus

érémurus de Pers

liliacées   70-120 cm   juin-juillet   ○ ◻ ◻

Origine : Asie centrale. **Description** : la plante a des feuilles étroites, rubannées et une tige s
terminant par un épi de fleurs jaunes. **Exigences, Soins, Reproduction, Utilisation** : les mêm
que pour l'espèce précédente. **Variétés** : l'espèce primitive a des fleurs jaunes, dont les pétale
présentent des rayures oranges sur la face extérieure. Elle a donné naissance à des variét
améliorées, qui sont groupées sous le nom de « hybrides de Shellford » et « hybrides de Ru
ter ». Elles existent en mélanges de coloris et en coloris unique.

Eucomis natalensis

liliacées   30-70 cm   juin-août   ○ ◻

Origine : Afrique du Sud. **Description** : le gros bulbe donne naissance à des feuilles en form
de lanière, et à une hampe florale d'un blanc verdâtre, se terminant par une touffe de feuille
Exigences : sol perméable, exposition en plein soleil, endroit abrité. **Soins** : planter
deuxième quinzaine d'avril, garder les bulbes, l'hiver, dans un local frais, à l'abri des gelée
Reproduction : par les caïeux issus du bulbe principal et aussi par semis en serre tiède. **Utilisa
tion** : dans une plate-bande, parmi des plantes exotiques. **Variétés** : on ne cultive que l'espè
primitive, c'est-à-dire la variété « Alba » à fleurs blanches.

Freesia hybrida

freesi

iridacées   60-100 cm   juillet-septembre

Origine : Afrique du Sud. **Description :** d'un bulbe allongé s'élèvent des feuilles étroite fines, lancéolées, et une tige se terminant par un épi de huit à dix fleurs tubuleuses, tout tournées du même côté. **Exigences :** sol léger, humeux, frais et riche. Endroit chaud et abrit **Soins :** ne planter qu'en mai en pleine terre, entre 3 et 5 cm de profondeur ; on peut cependa cultiver les plantes en pots déjà à partir de mars. **Reproduction :** par séparation des jeun bulbes ou par semis faits en mars ou en avril. **Utilisation :** en petit groupe dans un mass décoratif, dans des vasques ou comme fleur à couper. **Variétés :** n'existe pas qu'en mélang multicolore ; il existe aussi la variété « Apollo », blanche ; « Aurore », jaune ; « Carnaval » rouge écarlate orangé ; « Margaret », rose pourpré.

Fritillaria imperialis

fritillaire impéria

liliacées   60-100 cm   avril-mai

Origine : Asie mineure. **Description :** plante bulbeuse à fleurs pendantes, en forme de clo chette, et à feuilles lancéolées. **Exigences :** sol profond, perméable, riche. **Soins :** planter le bulbes en septembre ou en octobre, entre 15 et 25 cm de profondeur, et laisser les plantes a même endroit pendant trois ou quatre ans. Si nécessaire, déplanter à la fin de juin. **Reprodu tion :** par séparation des jeunes bulbes ; on peut faciliter leur formation en entamant la bas du bulbe. Par semis, on n'obtient des bulbes donnant des fleurs, qu'après une période varian entre trois et cinq ans. **Utilisation :** en exemplaire isolé ou en petits groupes dans une plate bande. **Variétés :** l'espèce primitive a des fleurs rouge orangé, mais il existe des variétés fleurs jaunes et rouge foncé.

Fritillaria meleagris

fritillaire à damier, méléagr

liliacées   20-40 cm   avril-mai

Origine : Europe. **Description :** d'un bulbe plutôt petit s'élèvent des feuilles étroites et des clo chettes pendantes. **Exigences :** sol perméable, endroit abrité. **Soins :** planter les bulbes e octobre, entre 6 et 10 cm de profondeur et les laisser au même endroit pendant une périod allant de cinq à dix ans. **Reproduction :** par séparation des jeunes bulbes ou par semis. **Utilisa tion :** en groupes dans un massif printanier, dans la rocaille, ou au pied d'arbustes d'orne ment. **Variétés :** l'espèce primitive est pourpre avec un motif en damier.

Galanthus elwesii

perce-neige d'Elwe

amaryllidacées   15-25 cm   février

Origine : régions méditerranéennes. **Description :** feuilles gris vert, linéaires, pouvant avoi 3 cm de large, et fleurs blanches pouvant atteindre 4 cm de large. **Exigences :** sol normal aéré, avec de l'humidité en suffisance. **Soins :** planter les bulbes déjà à la fin août, entre 5 e 8 cm de profondeur, et les laisser quatre ans environ au même endroit. On peut les transplan ter pendant la période de floraison, à condition de prendre toute la motte de terre. **Reproduc tion :** par séparation des jeunes bulbes, par division des touffes les plus robustes après leu floraison, ou par semis en caissettes. **Utilisation :** dans un massif de vivaces, dans la rocaille ou au pied d'arbustes d'ornement. **Variétés :** on cultive surtout l'espèce primitive.

Gladiolus hybrides

glaïeu

iridacées 30-150 cm juin-septembre ○ ⬜

Origine : les espèces primitives sont originaires d'Afrique centrale, d'Afrique du Sud, de régions méditerranéennes et de l'Europe. Elles ont donné naissance aux formes améliorées de glaïeuls des jardins. **Description :** le bulbe, qui se renouvelle tous les ans, donne naissance des feuilles rubannées, poussant par paire. La hampe florale forme un épi de fleurs serrées s terminant en tube à la base. **Exigences :** les glaïeuls poussent dans tout sol de jardin ayan assez d'humidité et d'éléments nutritifs. **Soins :** planter en pleine terre depuis la mi-avr jusqu'à la mi-juin, à une profondeur variant entre 8 et 12 cm. Observer une distance d'envi ron 15 cm entre les plantes. Avant que la floraison ne soit terminée, il faut couper la tige just en-dessous de l'épi ; on évite ainsi que la plante ne s'affaiblisse inutilement par la formatio de graines. On retire les bulbes du sol de la fin de septembre au début d'octobre, on coup ensuite les tiges juste au-dessus des bulbes ; on nettoie ceux-ci, et on les laisse sécher de trois cinq jours, à une température de 25 à 30°C. Pendant l'hiver, on les garde dans un endroit se et bien aéré, à une température ne dépassant pas 5 à 10°C. **Reproduction :** en général, l reproduction se fait en plantant des petits bulbilles en pleine terre, déjà en avril. Pour facilite la germination, il faut les faire préalablement tremper un jour ou deux dans l'eau. Avec de soins adéquats, quelques plantes fleurissent déjà l'année suivant le semis. On peut multiplie les espèces formant un rejet, en le séparant du bulbe mère, et en s'assurant qu'il possède u œil bien développé, ainsi qu'une partie de la base du bulbe principal. Les surfaces fraîchemen coupées sont laissées à sécher, et on plante ensuite le morceau, comme s'il s'agissait d'u bulbe entier. La reproduction par semis donne des plantes très différentes en ce qui concern la fleur, la hauteur et les autres caractéristiques. **Utilisation :** c'est en groupes de 5 à 20 plante de la même espèce, plantées dans un massif entre des annuelles ou des vivaces basses, que le glaïeuls font le plus d'effet. Ils sont surtout cultivés pour en faire des fleurs coupées. Il es aussi possible de les forcer en serre. **Variétés :** le nombre des espèces cultivées est très vaste, e chaque année, il apparaît en plus des nouveautés horticoles. On les divise aujourd'hui e glaïeuls à floraison hâtive, semi-hâtive et tardive

• Variétés à floraison hâtive : « Acca Laurentia », rouge écarlate à dessin jaune ; « Ameri can Express », jaune à gorge foncée ; « Abu Hassan », bleu violacé foncé ; « Firmament » bleu lobélie ; « Flowersong », jaune à tache rouge carmin ; « Amitié », rose à gorge jaun crème ; « Poussière d'Or », jaune beurre ; « Johann Strauss », rouge orangé ; « Mansour » rouge velouté ; « Baiser du Matin », blanc à gorge rouge ; « Pandion », violet clair à tache foncées ; « Toulouse Lautrec » **(2)**, orange à tache jaune et dessin rouge ; « Amitié Blanche **(3)**, blanc crème à bords frisés.

• Variétés à floraison semi-hâtive : « Alfred Nobel » **(1)**, rose à gorge blanche ; « Fontain de Fleurs », orange saumoné à tache jaune ; « Conquérant Bleu », bleu violacé foncé ; « D Fleming », rose clair ; « Fidelio », rose pourpré à tache foncée ; « Mabel Violet », bordeau violacé à lignes blanches ; « Pactolus », jaune à œil rouge ; « Patriote », rouge écarlat orangé ; « Sans Souci », rouge écarlate ; « Silhouette », gris mauve à dessin rose ; « Prin cesse des Neiges », blanc ; « Spotlight », jaune clair à œil rouge écarlate

• Variétés à floraison tardive : « Albert Schweitzer » **(4)**, rouge vif à œil foncé ; « Aristo crate », rouge carmin à trace pourpre ; « Elan », rose satiné à gorge blanche ; « Firebrand » rouge carmin à lignes blanches ; « Nouvelle Europe », rouge lumineux ; « Picardie », dan les tons saumon ; et encore beaucoup d'autres.

Hyacinthus orientalis

jacinthe d'Orien

liliacées   20-30 cm   avril-mai   ○ ◑ ⬜

Origine : Asie mineure. **Description** : gros bulbe rond, donnant naissance à des feuilles rubannées et à une grappe dense de fleurs très parfumées. **Exigences** : sol léger, perméable, rich**e** **Soins** : on plante les bulbes en octobre, à 10 cm de profondeur et on les retire du sol chaqu**e** année en juin. Après les avoir nettoyés, on les garde dans un endroit sec, jusqu'à la prochain**e** plantation. **Reproduction** : par les bulbilles, dont on facilite la formation en entamant la bas**e** du bulbe. **Utilisation** : en groupes dans un massif, aussi pour la décoration des jardinières **e** des vasques. Les gros bulbes peuvent être utilisés pour la culture forcée. **Variétés** : il en exista autrefois plus d'une centaine, mais aujourd'hui, on ne cultive plus que les meilleures. Ce sor**t** principalement : « Anne-Marie », rose clair ; « Bismarck », bleu porcelaine ; « Carnegie **(1)**, blanc ; « City of Haarlem », jaune ; « Bleu de Delft », bleu ; « Lady Derby », rose **;** « L'Innocence », blanc pur ; « Ostara », bleu foncé ; « Perle Brillante », bleu nacré ; « Per**l** Rose » **(2)**, rose foncé ; et quelques autres encore.

Iris danfordiae

iridacées   10-12 cm   mars-avril   ○ ◑ ⬜ ◪

Origine : Asie mineure. **Description** : les bulbes allongés et pointus présentent sur l'envelopp**e** externe un motif quadrillé très marqué. Les feuilles dressées, linéaires apparaissent en mêm**e** temps que les fleurs. La tige courte porte une seule fleur. **Exigences** : sol argileux, perméable sableux, légèrement alcalin. La plante demande un emplacement chaud, sec en été, pour que **l**e bulbe puisse bien mûrir. **Soins** : planter en octobre, entre 5 et 8 cm de profondeur. Les bulbe**s** peuvent rester au même endroit pendant deux ou trois ans, mais il vaut mieux les retirer du so**l** à la mi-juin, les nettoyer et les conserver au sec jusqu'à la replantation, à l'automne suivant**.** **Reproduction** : par séparation des caïeux ou par semis en coupes. **Utilisation** : en massif printaniers de fleurs hâtives, ou dans la rocaille. Cet iris convient aussi pour la culture forcé**e** en pots. **Variétés** : on ne cultive que l'espèce primitive **(3)** à fleurs jaune citron présentant un**e** ligne orange et quelques petits points verts.

Leucojum vernum

nivéole de printemps

amaryllidacées   15-25 cm   mars-avril   ◑ ◪

Origine : Europe centrale et méridionale. **Description** : des bulbes sphériques à enveloppe**e** d'un vert blanchâtre, s'élèvent des feuilles vert foncé, brillantes, en forme de lanière, et un**e** tige se terminant par une ou deux fleurs en clochette. **Exigences** : sol humeux, plutôt humid**e** et riche, si possible. La plante est tout à fait rustique. **Soins** : on plante les bulbes en août déjà**,** entre 8 et 10 cm de profondeur. On ne les transplante que quatre à six ans plus tard, a**u** moment où la floraison est terminée depuis six semaines. **Reproduction** : par séparation de**s** caïeux, lors de la transplantation. Aussi par semis en caissettes, mais il faut attendre deux **à** trois ans pour obtenir des plantes donnant des fleurs. **Utilisation** : dans un massif printanier dans la rocaille, et comme fleur à couper. **Variétés** : l'espèce primitive **(4)** a des fleurs blanche**s** avec une tache jaune verdâtre à la pointe des pétales. La variété *carpaticum* a des taches jaun**e** or, et la variété *vagneri* des taches vertes.

Lilium hybridum

li

liliacées   40-180 cm   juin-septembre   ○ ◕ ⌐

Origine : les espèces primitives sont originaires d'Asie, d'Amérique du Nord, et auss
d'Europe. **Description :** en plus des racines souterraines, quelques espèces de lis développen
des racines annuelles, provenant de la tige et se trouvant juste en-dessous de la surface du so
Les feuilles sont étroites et allongées, les fleurs sont en forme de trompette, de cloche, d
coupe ou de calice et peuvent être plates ou en turban. **Exigences :** sol profond, humeu
humide, mais perméable, ayant un bon drainage. L'endroit où on plante les lis doit êt
ombragé par des plantations de vivaces, d'arbustes bas ou de graminées ornementales. **Soins**
la couche de terre recouvrant le bulbe doit être deux ou trois fois plus haute que celui-ci. Le
espèces à floraison hâtive se plantent au début de la période de repos de la végétation, c'est-à
dire à la mi-septembre ; les espèces à floraison tardive peuvent être plantées au printemps. Le
plantes doivent être recouvertes d'un paillis de fumier ou de feuilles décomposées, car le so
doit rester frais. Il faut éviter le dessèchement de la terre et la formation d'une croûte en sur
face. En protégeant le sol, on évite aussi le développement des mauvaises herbes. Les espèce
hautes doivent être pourvues d'un tuteur. On coupe les fleurs fanées, pour éviter l'affaiblisse
ment du bulbe par le développement des graines. Les lis peuvent rester plusieurs années a
même emplacement ; on ne les transplante que lorsqu'ils ne produisent plus de fleurs et que le
bulbes se divisent d'eux-mêmes. **Reproduction :** par caïeux secondaires, par bulbilles foliaire
ou par écailles de bulbes. Les espèces botaniques et quelques autres peuvent se reproduire pa
semis. On sème les graines dans une caissette contenant un mélange de compost, de gros sabl
et de fine tourbe. On recouvre d'une plaque de verre et on expose à la chaleur. Les espèces
développement aérien germent en l'espace de trois à six semaines, à une température de 18
20°C. Celles à développement souterrain demandent une température de 20 à 25°C, la plupar
des graines ne germant que l'année suivante. Dès que la germination commence, retirer la pla
que de verre, et exposer les plantes à la lumière. Au printemps de l'année suivante, on les me
sur souche. Pendant toute la croissance, il faut arroser régulièrement, et répandre toutes le
deux semaines une préparation liquide à base de cuivre, afin d'éviter les maladies provoquée
par des champignons. Une fois par mois, il est recommandé d'arroser les pieds des plante
avec une solution d'engrais complet organique ou minéral. L'hiver, à l'approche des premiè
res gelées, on recouvre la plate-bande d'une couche de tourbe mélangée à de l'engrais, ou d
compost ; elle doit avoir environ 5 cm de hauteur. **Utilisation :** en groupes de plusieurs bulbe
de même espèce dans un massif de vivaces ; les espèces courtes peuvent être plantées dans l
rocaille. Les lis conviennent très bien pour la culture forcée et la production de fleurs coupées
Variétés : le nombre des espèces de lis botaniques et de leurs variétés est très grand, et aug
mente chaque année avec l'apparition de variétés améliorées. C'est pourquoi on les divise e
plusieurs groupes selon leurs caractéristiques et leur origine.
On cultive surtout les « hybrides asiatiques », qui atteignent en général 75 à 100 cm de haut
Ils fleurissent en juin. Selon la forme de la fleur, on les divise en sous-groupes suivants :
• lis à fleurs dressées, en forme de coupe. Par exemple, « Cinnabar », rouge brun ; « Des
tiny », jaune ; « Enchantment », rouge orangé ; « Harmony », jaune orangé ; « Red Bird :
(1), rouge ; et d'autres.
• Lis à fleurs tournées sur le côté. Par exemple, « Black Butterfly » **(2)**, rouge foncé
« Brandywine », jaune clair à nuance orange ; « Paprika » **(4)**, rouge foncé ; « White Gold :
(3), blanc à nuance abricot ; et d'autres encore.
• Lis à fleurs pendantes, en forme de turban. Par exemple, « Burgundy », bordeaux foncé
« Citronella », jaune citron ; « Sonata », orange saumoné, etc.

Les « hybrides à fleurs en trompette » atteignent 120 à 180 cm de haut. Les pétales sont longs et arqués avec élégance. Ces lis poussent avec facilité et durent de nombreuses années. Sous nos latitudes, la plupart fleurissent en juin. On peut citer : « African Queen », dans les tons abricot ; « Damson », rose fuchsia ; « Golden Splendour » **(2)**, jaune foncé ; « Green Magic », blanc verdâtre ; « Honeydew », jaune verdâtre ; « Limelight », jaune citron ; « Pink Perfection », rose ; « Royal Gold », jaune d'or ; « Sentinelle », blanc pur ; et d'autres encore.

Les « hybrides orientaux » peuvent atteindre 120 à 180 cm de haut. Ils fleurissent, en général, seulement en août et septembre. Selon la forme de la fleur, on les divise en sous-groupes suivants :

- Lis à fleurs en forme de coupe. Par exemple les variétés « Bonfire » à grandes fleurs présentant des rayures transversales rouge carmin au milieu des pétales et une bande blanche sur les bords ; « Empress of China », à grandes fleurs d'un blanc crayeux, ponctuées de brun rougeâtre ; « Empress of India », à fleurs rouge carmin foncé et à bords retournés vers l'extérieur ; « Empress of Japan », à fleurs blanches présentant des lignes jaune d'or au milieu des pétales et ponctuées de brun marron ; « Magic Pink », à fleurs roses ponctuées de rouge foncé.

- Lis à fleurs plates. Par exemple « Imperial Crimson », à fleurs rouge carmin, bords blancs et gorge argentée ; « Imperial Gold », à larges pétales blancs, lignés de jaune et à petits points rouge écarlate ; « Nobility », rouge rubis à dessin blanc ; « Sunday Best », à fleurs blanches et ligne rouge pourpre au milieu des pétales.

- Lis à fleurs en forme de turban. Par exemple « Allegra », à fleurs blanc pur et étoile verte au centre de la fleur ; « Black Beauty » **(3)**, rouge rose ; « Jamboree » **(4)**, à fleurs rouge carmin, bords blancs et petits points rouge foncé ; « Red Champion », rose foncé à points rouges ; « White Champion », fleurs blanches avec une étoile verdâtre au centre.

Lilium leucanthum

liliacées   100-140 cm   juillet-août   ○ ◑ ◨

Origine : Chine centrale. **Description :** d'un bulbe jaune clair avec légère trace de brun cannelle, s'élèvent des tiges pourvues d'une quantité de racines aériennes. Les feuilles sont longues et étroites. La hampe florale porte, en général, de trois à cinq fleurs délicatement parfumées, en forme de trompette. **Exigences :** bon sol humeux, couvrir l'hiver d'une litière de feuilles. **Soins :** on plante les bulbes dans un sol bien drainé, entre 15 et 25 cm de profondeur, et on les y laisse pendant plusieurs années. **Reproduction :** par semis au printemps, les plantes ne donnant des fleurs que la troisième année. **Utilisation :** dans un massif entre des plantes vivaces, ou des arbustes bas. **Variétés :** l'espèce primitive **(1)** a des fleurs blanc crème à gorge jaune. La variété *centifolium* Stearn pousse avec facilité et donne jusqu'à 15 fleurs rose pourpre, blanches à l'intérieur et à gorge jaune clair.

Muscari armeniacum

liliacées 15-20 cm avril

muscari d'Arménie

○ ◑ □

Origine : Asie mineure. **Description** : plante bulbeuse à feuilles au niveau du sol et repliées en gouttière. La tige courte et dressée se termine par une grappe de petites fleurs fermées ayant la forme d'un petit tonneau. **Exigences** : sol aéré, riche, mais pas trop humide. **Soins** : on plant les petits bulbes en septembre ou en octobre entre 6 et 12 cm de profondeur. On les laisse en général environ trois ans au même endroit. **Reproduction** : par séparation des petits caïeux que la plante fournit en grande quantité. **Utilisation** : pour massifs et pour la rocaille. Auss comme plante couvrant le sol, entre des bulbeuses hautes ou des arbustes d'ornement Convient pour la culture forcée et la fleur à couper. **Variétés** : à part l'espèce primitive **(1)** fleurs bleu cobalt, il existe la variété « Cantab » bleu clair et « Heavenly Blue » bleu gentiane

---

Narcissus hybrides

amaryllidacées 7-45 cm mars-mai

narcisse

○ ◑ □

Origine : régions méditerranéennes et Alpes. **Description** : les bulbes donnent naissance à de feuilles repliées en gouttière. La tige creuse porte une ou plusieurs fleurs dont le pétiole es entouré par une fine gaine. Les pétales sont groupés en couronne autour d'un tube à l'orific duquel se trouve une couronne centrale en forme de trompette, de coupe ou d'assiette. **Exigences** : sol profond, aéré, avec suffisamment d'humidité et d'éléments nutritifs. **Soins** : on plante les bulbes déjà à la fin août et en septembre, car les narcisses ont besoin d'une température plus élevée, pour s'enraciner, que celle que requièrent les tulipes. Les espèces de jardins se plantent entre 12 et 18 cm de profondeur. Tous les trois ou quatre ans, on retire les bulbes du sol en juillet, on les trie et on les plante à nouveau en automne. **Reproduction** : par division des caïeux, qu'il ne faut pas séparer trop brusquement du bulbe mère. **Utilisation** : dans le jardins ou les parcs, en groupes petits ou grands de fleurs de la même espèce. Lorsque les narcisses sont plantés dans une pelouse, il faut retarder le plus tard possible le moment de la première tonte. Ce sont aussi des fleurs à couper très appréciées, qui conviennent bien pour la culture forcée. **Variétés** : la grande quantité d'espèces botaniques (et leurs variétés) ainsi que le milliers d'espèces améliorées, ont été divisées pour des raisons de facilité en différents groupes :

• « Narcisses trompette » à longue couronne centrale en forme de trompette. Parmi les variétés les plus cultivées, on peut citer « Beersheba », blanc pur ; « Covent Garden », jaune « Dutch Master », jaune pur ; « Explorer », jaune clair ; « Golden Harvest » **(2)**, jaune d'or ; « King Alfred », jaune citron ; « Magnet », blanc à trompette jaune citron ; « Moun Hood », blanc pur ; « Queen of Bicolors », crème à trompette jaune canari ; « Unsurpassable », jaune canari. Il en existe encore beaucoup d'autres.

• « Narcisses à grande coupe » avec une longue couronne centrale, en forme de coupe. Parmi les variétés les plus appréciées, on peut citer « Birma » **(3)**, jaune d'or à couronne centrale rouge orangé ; « Carlton », jaune d'or ; « Flower Record », blanc à couronne centrale jaune ourlée d'orange ; « Fortune », jaune à couronne centrale bordée de rouge orangé « Helios », jaune à couronne centrale orange ; « La Argentina », blanc à lignes jaune orang sur la couronne centrale ; « Mercato », blanc à couronne jaune orangé à bord rouge ; « Ros Sunrise » **(4)**, blanc crème à couronne centrale rose saumon ; « Sempre Avanti », blanc à cou ronne centrale orange clair ; et encore beaucoup d'autres.

- « Narcisses à petite couronne » présentant une couronne centrale plus petite, en forme de coupe ou d'assiette. Les plus belles variétés sont « Aflame », blanc à couronne centrale rouge ; « Barrett Browning », crème à couronne centrale jaune orangé ; « Edward Buxton » (2), jaune primevère à couronne centrale orange ; « La Riante », blanc à couronne centrale orange foncé ; « Mary Housley » (1), blanc avec couronne centrale jaune à bord frisé orange ; « Verger », blanc à couronne centrale rouge orangé, etc.
- « Narcisses doubles » à fleurs possédant plus de six pétales. Il faut citer parmi les variétés « Golden Ducat », jaune clair ; « Indian Chief » (3), jaune soufre avec plusieurs pétales rouge orangé ; « Mary Copland », blanc crème avec pétales rouge orangé au centre de la fleur ; « Texas », jaune d'or à pétales rouge feu ; « Twink », blanc à plusieurs pétales rouge orangé au centre ; « Van Sion », jaune foncé.
- « Narcisses Triandus » ayant deux à six fleurs par tige et une couronne centrale en forme de coupe ou de tube. On cultive surtout les variétés « Shot Silk », à pétales blancs et couronne centrale jaune ; « Silver Chimes », blanc à petite couronne centrale jaune ; « Thalia », blanc pur ; et « Tresamble », blanc à couronne centrale jaune crème.
- « Narcisses cyclamen » ayant une couronne centrale étroite en forme de trompette et à pétales retournés vers l'arrière. Par exemple, les variétés « February Gold », jaune clair à couronne centrale jaune orangé et « Peeping Tom », à fleurs jaune d'or.
- « Narcisses jonquille » : ils sont très fragiles et ont un parfum de fleur d'oranger. Par exemple, « Golden Perfection » jaune pur, « Suzy » jaune à couronne centrale rouge orangé et « Trevithian » jaune citron.
- « Narcisses à bouquets » ayant de trois à douze fleurs par tige. Parmi les variétés les plus cultivées, il faut citer « Cheerfulness », crème à fleurs doubles au milieu ; « Cragford » blanc à petite couronne centrale rouge orangé ; « Géranium », blanc à couronne centrale rouge orange foncé ; « Laurens Koster », crème à couronne centrale jaune citron ; « Yellow Cheerfulness », jaune primevère à centre double.
- « Narcisses des poètes » à couronne centrale en forme de col. Ils sont parfumés et ont une floraison tardive. On cultive le plus souvent la variété « Actaea » blanche à couronne centrale jaune, ourlée de rouge.

Ornithogalum umbellatum   ornithogale, dame d'onze heures

liliacées   15-30 cm   avril-mai

Origine : Europe, Asie mineure et Afrique du Nord. **Description :** rosette basse de feuilles linéaires avec une ligne blanche au milieu. Les fleurs étoilées, qui ont environ 3 cm de diamètre, s'ouvrent les jours ensoleillés, de 11 h du matin à 3 h de l'après-midi. **Exigences :** sol léger, aéré, riche. **Soins :** on plante les bulbes en octobre, entre 8 et 10 cm de profondeur, et on les laisse plusieurs années au même endroit. On peut aussi les retirer du sol en juillet ou en août. **Reproduction :** par caïeux, qui se développent en grande quantité. Aussi par semis sur couche, les plantes ne donnant des fleurs qu'après deux ou trois ans. **Utilisation :** dans les rocailles, comme bordures de massifs, ou sous des arbustes d'ornement. **Variétés :** on ne cultive que l'espèce primitive (4) à fleurs blanches, dont le revers des pétales est strié de vert.

Pleione bulbocodioides (P. limprichtii)

pléione de Limprich

orchidacées   10-15 cm   avril-mai

Origine : Tibet. **Description :** des bulbes verts et arrondis, s'élèvent d'abord les tiges portan
des fleurs de 7 cm de diamètre, puis les feuilles lancéolées. **Exigences :** cette orchidée terrestr
ne supporte pas le calcaire. Elle a besoin d'un sol bien drainé. **Soins :** on la plante en plein
terre, en laissant le bulbe dépasser légèrement de la surface du sol. Il faut arroser souvent l
plante avec de l'eau douce. En hiver et en automne, elle a besoin de sécheresse, et elle doit e
plus être couverte avant l'apparition des premières gelées. **Reproduction :** par séparation de
caïeux au printemps. **Utilisation :** en exposition au nord dans les rocailles. **Variétés :** *P. bulbo*
codioides est la seule variété qui supporte la plantation en pleine terre.

Puschkinia scilloides

puschkinia fausse, scill

liliacées   7-20 cm   avril-mai

Origine : Asie mineure. **Description :** des petits bulbes ronds s'élèvent en même temps le
feuilles repliées en gouttière et la hampe florale portant des clochettes tournées d'un seul côté
Exigences : sol normal de jardin. **Soins :** on plante les bulbes en septembre et en octobre, entr
6 et 10 cm de profondeur. Si nécessaire, on transplante en août, autrement les plantes peuven
rester plusieurs années au même endroit. **Reproduction :** par semis en caissettes, en obtient a
bout de deux ans, des plantes donnant des fleurs. Aussi par séparation des caïeux, mais il n
s'en forme pas beaucoup. **Utilisation :** dans les rocailles ou au pied d'arbustes d'ornement
Variétés : à part l'espèce primitive, à fleurs rayées de bleu ciel, il existe aussi la variété « Liba
notica Alba » à fleurs blanches.

Scilla hispanica (S. campanulata)

scille campanulé

liliacées   25-35 cm   mai-juin

Origine : Espagne et Portugal. **Description :** les petits bulbes donnent naissance à une roset
de feuilles repliées en gouttière. Les fleurs en clochette se tiennent en grappe peu serrée sur l
tige. **Exigences :** sol perméable, riche. **Soins :** on plante les bulbes en septembre et en octobr
entre 6 et 10 cm de profondeur. La transplantation se fait quelques années plus tard, de préfé
rence en août. **Reproduction :** par séparation des caïeux. **Utilisation :** pour massifs printa
niers, aussi comme fleur à couper. **Variétés :** l'espèce primitive a des fleurs bleu violet.

Tigridia pavonia

tigridia à grandes fleur

iridacées   30-60 cm   juillet-septembre

Origine : Mexique. **Description :** des bulbes ronds s'élèvent des feuilles ressemblant à cell
des iris. Les fleurs, qui peuvent avoir 15 cm de diamètre, poussent l'une après l'autre et for
ment un épi peu serré. Chaque fleur ne dure qu'un jour. **Exigences :** sol perméable, rich
endroit chaud. **Soins :** on plante les bulbes la deuxième quinzaine d'avril, entre 5 et 10 cm d
profondeur. On les récolte en octobre et on les conserve dans un endroit abrité, en caissett
remplie de sable. **Reproduction :** par séparation des caïeux, ou par semis au printemps, su
couche. **Utilisation :** pour massifs colorés. **Variétés :** la plante se présente le plus souvent e
mélange de coloris blanc, jaune rose, rouge écarlate et rouge carmin.

Tulipa violacea

tulipe violacé

liliacées   7-10 cm   mars-avril   ○ ◐ L

Origine : Iran. **Description :** la plante a, en général, entre trois et cinq feuilles étroites, prenant naissance au niveau du sol. La fleur violet pourpré est en forme de calice, avec un disqu central jaune. Elle s'ouvre largement sous les rayons du soleil. **Exigences :** endroit abrité **Soins et reproduction :** les mêmes que pour l'espèce précédente. **Utilisation :** surtout dans le rocailles. **Variétés :** à côté de l'espèce primitive, on cultive aussi la variété « Yellow Centre » fleurs d'un violet intense et à disque jaune foncé.

Tulipa Kaufmanniana hybrida

liliacées   15-30 cm   mars-avril   ○ ◐ L

Origine : Turkestan. **Description :** les fleurs en forme de calice s'ouvrent largement. Les péta les sont pointus et ont une tache rouge carmin sur la face externe. **Exigences, soins, reprodu tion et utilisation :** les mêmes que pour l'espèce précédente. **Variétés :** l'espèce primitive a de pétales blanc crème à tache rouge carmin et gorge jaune. La variété « Shakespeare » **(3)** e rose saumon à tache rouge orangé ; « The First » est crème à tache rouge carmin ; « Vivaldi **(2)** est jaune crème à tache rouge sur la face externe.

Tulipa Fosteriana hybrida

liliacées   15-40 cm   avril   ○ ◐ Г

Origine : Asie centrale. **Description :** des bulbes s'élèvent de larges feuilles glauques. La tig porte une grande fleur rouge écarlate à disque central noir, bordé de jaune. **Exigences :** tou sol normal de jardin, à condition qu'il ne soit pas trop acide. Humidité en suffisance au prin temps ; en été, surtout de la sécheresse, afin que les oignons mûrissent bien. **Soins :** le meilleu moment pour planter est la période allant du 15 septembre au 15 octobre. Auparavant, il fau aérer le sol en profondeur et l'égaliser. Les bulbes sont plantés entre 8 et 12 cm de profondeu Il est nécessaire de couper les fleurs fanées, pour que les bulbes ne s'affaiblissent pas par l formation inutile de graines. On peut laisser les tulipes au même endroit pendant plusieur années, mais il vaut mieux les retirer délicatement du sol après que la partie visible de la plant se soit desséchée, c'est-à-dire six à huit semaines après la floraison. On peut déjà, à la fin d juin, retirer les bulbes d'espèces hâtives ; pour les autres, on le fait en juillet. Quelques jour après, on ôte la pellicule entourant les bulbes, et on les conserve dans un endroit sec et aér jusqu'au moment de les replanter. **Reproduction :** bien que les bulbes forment facilement de graines, on n'obtient des fleurs, par la reproduction par semis, que trois à six ans plus tard. L reproduction par semis, que trois à six ans plus tard. La reproduction par bulbilles est moin lente. **Utilisation :** dans les rocailles ou au milieu d'une pelouse. **Variétés :** on ne cultive plu l'espèce primitive, mais seulement les variétés. Par exemple, « Red Emperor », à grande fleurs rouge écarlate ; « Purissima » **(4)**, à grandes fleurs blanc pur.

Tulipa

tulip

liliacées   15-80 cm   avril-mai   ○ ◑ ⌐

Origine : Asie. **Description :** le bulbe est généralement composé de quatre écailles charnues. s'en élève trois à quatre feuilles larges, lancéolées, entourant une tige dressée. La fleur est fo mée de six pétales retombants. **Exigences :** les espèces hâtives demandent une exposition e plein soleil, les espèces tardives supportent aussi l'ombre. **Soins et reproduction :** les mêm que pour l'espèce précédente. **Utilisation :** les tulipes de jardins se plantent en groupes peti' ou grands de fleurs de la même espèce. On les place dans les massifs printaniers entre des viv ces, à proximité de plantes bisannuelles. Les espèces courtes de tulipes hâtives peuvent êt forcées en pots, les espèces hautes conviennent comme fleurs à couper. **Variétés :** il existe d milliers de variétés améliorées. Selon les caractéristiques et propriétés communes, on l groupe de la façon suivante :

• « Tulipes simples hâtives » : 15 à 25 cm de haut. En pleine terre, elles fleurissent la pr mière quinzaine d'avril. Elles conviennent bien pour la culture forcée en pots et pour les plat tations en pleine terre. Par exemple, les variétés « Etoile Brillante » à fleurs rouge écarlate disque central bordé de jaune ; « Ibis », rose foncé à dessin blanc ; « Prince d'Autriche » (1 rouge orangé.

• « Tulipes doubles hâtives » : 25 à 30 cm de haut. Floraison à la mi-avril. Fleurs doubles l'extrémité de tiges robustes. Cette tulipe convient aussi bien pour la culture forcée en pots qu pour la plantation en pleine terre. Par exemple : « Boule de neige », blanc pur ; « Orang Nassau », rouge orangé ; « Peach Blossom », rose foncé.

• « Tulipes de Mendel » : 40 à 50 cm de haut. Elles fleurissent fin avril et sont cultivées pa culture forcée pour les fleurs à couper. Par exemple : « Krelages Triumph » rouge foncé.

• « Tulipes Triomphe » : 30 à 60 cm de haut. Floraison fin avril et début mai. Elles convie nent pour massifs et fleurs coupées. Par exemple : « Hindenbourg » rouge grenat à bor clair, « Paris » rouge foncé à bord jaune.

• « Tulipes à fleurs de Lis » : 40 à 60 cm de haut. Fleurs à pétales longs et pointus, plus o moins ouverts vers l'extérieur. Elles fleurissent fin mai seulement. Par exemple : « Aladin » rouge écarlate à bord jaune ; « China Pink », rose clair ; « Mariette », rose foncé ; « Reir de Sheba » (3), rouge marron à bord jaune ; « Rayon rouge », rouge foncé ; « West Point » jaune primevère ; « Triomphateur Blanc » (2), blanc pur.

• « Tulipes de Darwin » : 50 à 60 cm de haut. Floraison à mi-mai seulement. Elles sont cult vées surtout pour la fleur coupée. **Variétés :** « Allard Pierson », rouge brun ; « All Bright » rouge sang ; « Aristocrate » (4), rouge pur ; « Bartigon », rouge écarlate ; « Campfire » rouge sang ; « Clara Butt », rose saumon ; « Copland Rival », rose pourpre ; « Demeter » bleu violet ; « Age d'Or », jaune marbré d'orange ; « Insurpassable », violet clair « Magier », blanc à bord violet ; « Mamasa », jaune ; « Most Miles », rouge sang ; « Niphe tos », jaune crème ; « Paul Richter », rouge vif ; « Philip Snowden », rouge rose ; « Attra tion Rose », rose violacé argenté ; « Fierté d'Haarlem », rose carmin ; « Reine de Nuit » rouge noir ; « Rose Copland », rouge lilas..

- « Hybrides de Darwin » : 50 à 60 cm de haut. Grandes fleurs à l'extrémité de tiges forte Floraison : deuxième quinzaine d'avril. Elles conviennent pour les massifs et la culture forcée Variétés : « Apeldoorn », rouge écarlate orangé ; « Beauté d'Apeldoorn », jaune veiné c rouge ; « Dardanelles », rouge cerise ; « Allemagne », rouge ; « Diplomate », rouge clair « Douvres », rouge écarlate ; « Golden Apeldoorn », jaune ; « Gloire de Hollande » (1 rouge écarlate orangé ; « Bijou de Printemps », jaune ourlé finement de rouge ; « Lefeber Favourite », rouge lumineux ; « Oxford », rouge écarlate pourpré ; « Parade », rouge éca late ; « Chant de Printemps », rouge écarlate.

- « Tulipes Perroquet » : 35 à 65 cm de haut. Pétales très découpés, de forme curieuse. Elle fleurissent en général à mi-mai. Variétés : « Perroquet Abricot » (2), rouge orangé ; « Perro quet Noir », brun-noir pourpré ; « Perroquet Bleu », bleu violacé ; « Erna Lindgreen » rouge vif ; « Fantaisie », rose chair ; « Fire Bird », rouge foncé ; « Karel Doorman », roug carmin, finement ourlé de jaune ; « Miss Kay », rouge brun ; « Orange Favourite », orange « Perroquet Orange », brun orangé ; « Red Champion », rouge ; « Perroquet Rouge » rouge vif ; « Sunshine », jaune d'or ; « Texas Gold », jaune clair ; « Perroquet blanc » blanc.

- « Tulipes Breeder » : 55 à 70 cm de haut. Fleurs à pétales de tons pastels. Floraison : I deuxième quinzaine de mai. Variétés : « Bacchus », bleu foncé violacé ; « Cherbourg » jaune d'or à nuances bronzées ; « George Grappe », bleu lavande ; « Jago », rouge brunâtr avec bord brun-jaune ; « Louis XXIV », pourpre à large bord jaune d'or ; « Orang Delight », orange bronzé ; « Panorama », rouge acajou ; « Président Hoover », rouge orange ; « Tantalus », jaune clair à nuances violettes.

- « Tulipes simples tardives » (« tulipes Cottage ») : 40 à 60 cm de haut. Elles fleurissent I deuxième quinzaine de mai seulement. Variétés : « Advance », pétales rose saumon, viole clair à l'extérieur ; « Artiste », rose violacé à dessin vert ; « Groenland », rose à dessin vert « Golden Harvest », jaune citron ; « Halcro », pétales rouges, rouge carmin à l'extérieur « Inglescombe Yellow », jaune ; « Lincolnshire », rouge foncé ; « Princesse Margaret Rose », jaune virant au rouge ; « Renown », rouge carmin ; « Rosy Wings », rose saumon.

- « Tulipes Rembrandt » : 45 à 60 cm de haut. Fleurs à pétales plus petits, à taches multico lores. Floraison : la deuxième quinzaine de mai. Par exemple : « Cordell Hull » rouge à mar brures blanches.

- « Tulipes doubles tardives » : 40 à 60 cm de haut. Grandes fleurs doubles, très pleines, l'extrémité de tiges fortes. Floraison : la deuxième quinzaine de mai. Variétés : « Bonanza » jaune à veinures rouges ; « Clara Garder », rose poupre ; « Coxa » (3), rouge orangé à bor jaune ; « Eros », variété à grandes fleurs vieux rose ; « Médaille d'Or », jaune ; « Livings tone », rouge écarlate ; « Mount Tacoma », blanc à veinures vertes ; « Nizza », jaune lignes rouges ; « Porthos » (4), rouge vif ; « Symphonia », rouge carmin ; « Oncle Tom » rouge marron foncé ; « Yosemite », rose violacé à bord blanc.

Les arbres et arbustes

Abutilon × milleri

malvacées   150-200 cm   juin-octobre   ○ ⌐

Origine : les plantes à l'origine de ce croisement proviennent d'Amérique du Sud. **Descrip-**
tion : petit buisson à feuilles persistantes, palmées, lobées, possédant un long pétiole. Le
fleurs en forme de cloche ont une corolle multicolore. **Exigences :** la plante se développe bie
en serre froide. **Soins :** dès mi-mai, elle peut être plantée au jardin, à un endroit abrité. **Repro**
duction : par bouture ou par semis. **Utilisation :** convient bien pour une grande vasque su
une terrasse ou sur un balcon. Mettre l'hiver en serre froide. **Variétés :** l'espèce primitive a de
fleurs jaunes à corolle rouge. La variété « Variegata » a un feuillage à taches jaunes.

Aristolochia macrophylla (A. durior)

aristolochiacées   600-1000 cm   juin-août   ○ ◖ ⌐

Origine : Amérique du Nord. **Description :** liane grimpante à grandes feuilles cordées. Le
fleurs jaune-vert, pourpres à l'intérieur, font penser au fourneau d'une pipe. **Exigences :** so
riche, arrosages réguliers. **Soins :** de temps en temps, arroser avec de l'engrais liquide. **Repro**
duction : par marcottage ou par semis en serre chaude. **Utilisation :** en prenant appui sur u
support prévu à cet effet, la plante grimpe en formant un écran de verdure très épais. Elle peu
tapisser un mur élevé, exposé au nord ou à l'ouest. Elle peut aussi grimper le long d'une chaîn
attachée à une branche élevée, ou autour d'une colonne.

Berberis thunbergii

épine vinett

berbéridacées   100-150 cm   juin   ○ ● ⌐

Origine : Japon. **Description :** buisson à feuilles caduques, qui ont le plus souvent un jo
coloris. **Exigences :** un sol normal de jardin convient parfaitement. **Soins :** élaguer au prir
temps. **Reproduction :** l'espèce primitive par semis, les autres espèces et variétés par boutures
Utilisation : comme plante isolée ou en groupes, aussi pour une haie basse. **Variétés :** l'espèc
primitive a de petites feuilles qui deviennent rouges en automne. Les petites fleurs sont jaune
et les fruits de forme cylindrique, sont rouge lumineux. La variété « Atropurpurea » a de
feuilles rouge pourpre devenant rouge carmin en automne ; « Atropurpurea Nana » (3) n
dépasse pas 30 à 60 cm de haut.

Bougainvillea glabra

bougainvillé

nyctaginacées   300-600 cm   avril-juin   ○ ⌐

Origine : Brésil. **Description :** arbuste grimpant à feuilles ovoïdes. Les petites fleurs insign
fiantes, jaunes-blanches, tubulaires, sont entourés de bractées colorées. **Exigences :** conserve
l'hiver en serre chaude à une température de 5 à 8°C en arrosant modérément. **Soins :** si le
conditions climatiques sont bonnes, la plante peut déjà être plantée en pleine terre dès avri
Choisir un endroit abrité, si possible au côté sud d'un mur. **Reproduction :** par bouture e
juin. **Utilisation :** pour garnir une pergola, un portail de jardin et d'autres constructions
Variétés : à côté de l'espèce primitive à bractées rose lilas lumineux, on cultive surtout l
variété « Sanderiana » à bractées lilas foncé.

Calluna vulgaris

bruyère commune

éricacées   20-50 cm   juin-octobre   ○ ◑ ▱

Origine : étendues de bouleaux et de pins en Europe et en Asie mineure. **Description** : buisson ramifié à petites feuilles persistantes, linéaires et fleurs en clochettes. **Exigences** : sol sableux pauvre et acide. **Soins** : de temps en temps, il convient de rajeunir la plante en taillant les branches avant le développement des nouvelles pousses. **Reproduction** : la partie inférieure de pousses s'enracine facilement en terre et peut ensuite être détachée. On peut aussi reproduire par semis ou par boutures en été. **Variétés** : on a amélioré plusieurs jolies variétés de différentes grandeurs, à fleurs blanches, roses ou lilas et à feuillage coloré. Par exemple : « Cuprea » (1), à fleurs roses.

Calycanthus occidentalis

callicanthe occidental

Calycanthacées   200-400 cm   juin-août   ○ ◑ ◪

Origine : Californie. **Description** : arbuste à tiges dressées et longues feuilles ovales pouvant atteindre 15 cm de long et fleurs rouge brunâtre ayant 5 cm de large. L'écorce a un parfum agréable. **Exigences** : bon sol de jardin perméable. **Soins** : de temps en temps, on taille les vieilles branches, surtout à la fin de l'hiver. **Reproduction** : par division des buissons les plus robustes, aussi par marcottage et par semis. **Utilisation** : comme plante solitaire ou avec d'autres plantes. **Variétés** : on ne cultive que l'espèce primitive.

Cassia didymobotrya

légumineuses   150-300 cm   juillet-août   ○ ◪

Origine : Afrique tropicale. **Description** : arbuste à feuilles opposées et à fleurs groupées en épi de 30 cm de long. **Exigences** : sol riche, humeux. La plante est cultivée en serre froide, mais peut passer l'été en plein air. **Soins** : de novembre à mars, arroser modérément, ensuite arrosages réguliers et abondants. **Reproduction** : par semis de graines importées. Les petites plantes fleurissent déjà la deuxième année. Aussi par boutures. **Utilisation** : en grands pots, l'été, sur les terrasses, près de coins de repos et d'autres endroits protégés du jardin. **Variétés** : on ne cultive que l'espèce primitive à fleurs jaunes.

Chaenomelles hybrides

cognassier du Japon

rosacées   60-200 cm   mars-avril   ○ ◑ ◪

Origine : les plantes qui sont à l'origine de ce croisement proviennent d'Asie orientale. **Description** : arbuste à feuilles caduques, et à fleurs de 4 cm de large. En automne, se forment les fruits parfumés en forme de coings. On peut les presser pour en obtenir du jus de fruit. **Exigences** : la plante pousse dans tous sol de jardin et est tout à fait rustique. **Soins** : une taille assez courte ne nuit pas à la plante. **Reproduction** : par marcottage ou par boutures de racine. Les variétés sont greffées sur de jeunes plantes. **Utilisation** : comme plante isolée, ou en massifs, aussi pour former une haie poussant librement. **Variétés** : on peut recommander « Nivéa », blanc pur à gros fruits ; « Crimson and Gold », fleurs rouge foncé, grandes étamines jaune d'or ; « Knap Hill Scarlet », à grandes fleurs orange saumoné ; « Boule de Feu », rouge carmin.

Clematis hybrides

clématit

renonculacées   200-400 cm   juin-septembre   ○ ◑ ◪

Origine : Europe du Sud-Ouest et Asie. **Description :** plante grimpante à feuilles caduques
Les fleurs ont de quatre à huit sépales colorées tenant lieu de pétales. **Exigences :** sol frais, per
méable, riche. Le pied de la plante doit être à l'ombre. **Soins :** planter au printemps, le colle
de la plante doit être 10 cm en-dessous du niveau du sol. **Reproduction :** par marcottage, pa
boutures à talon ou par greffe. **Utilisation :** garniture de murs, de grilles, de pergolas, de por
tails. **Variétés :** parmi les variétés à grandes fleurs, il y a « Nelly Moser », à fleurs rose clair, la
partie médiane de chaque sépale étant marquée d'une raie rouge ; « Le Président », à fleurs
violet foncé ; et « Ville de Lyon » **(1)**, à fleurs rouge carmin.

Cornus mas

cornouiller mâl

cornacées   200-500 cm   février-avril   ○ ◑ ▢ ◪

Origine : Europe centrale et Asie. **Description :** arbuste assez grand à feuillage caduque e
fruits rouges. **Exigences :** plante sans exigence. **Soins :** l'arbuste n'a pas besoin d'être taillé
régulièrement. **Reproduction :** par semis de graines d'abord mises en terre par procédé de
« stratification » (on conserve ainsi la faculté germinative des graines et cela permet de faire
éclater la coque). **Utilisation :** en exemplaire isolé ou en petits groupes. Aussi au pied d'arbus
tes plus hauts. **Variétés :** on ne cultive que l'espèce primitive à petites fleurs jaune d'or. La
sous-espèce « Variegata » a un feuillage ourlé de blanc.

Cotoneaster horizontalis

cotonéaster horizonta

rosacées   50-100 cm   mai-juin   ○ ◑ ◪

Origine : Chine. **Description :** les rameaux secondaires sont répartis en arête de poisson le
long des branches principales horizontales et portent de petites feuilles ovales de 1,5 cm de
long. Celles-ci deviennent rouges en automne. Les fruits sont rouge corail et persistent assez
longtemps en hiver. **Exigences :** plante relativement sans exigences, elle est tout à fait rustique
Plantée à un endroit ensoleillé, la plante pousse mieux et a de plus jolis fruits. **Soins :** tailler en
mars ou en avril. **Reproduction :** facilement par graines, aussi par marcottage et boutures.
Utilisation : dans les rocailles, sur les murets de pierres sèches, sur des pentes, ou à la place de
gazon. **Variétés :** l'espèce primitive a des fleurs roses, la sous-espèce « Variegata » a des feuil
les à taches blanches, « Saxatilis » est moins robuste et plus rampante.

Cotoneaster microphyllus

rosacées   20-60 cm   mai-juin   ○ ◑ ◪

Origine : Himalaya. **Description :** arbuste rampant à petites feuilles persistantes, brillantes
vert foncé. Le dessous est gris velouté. Les petits fruits rouges apparaissent en août et resten
aussi l'hiver. **Exigences :** endroit un peu abrité, autrement la plante n'a pas d'exigences
Soins, reproduction et utilisation : les mêmes que pour l'espèce précédente. **Variétés :** à côté
de l'espèce primitive, on cultive quelques sous-espèces et variétés. Par exemple, la var. *mela-
notrichus* qui a seulement 15 cm de haut, la var. *thymifolius* à feuillage très menu et la sous-
espèce « Cochleatus » **(4)** qui convient particulièrement bien pour la rocaille.

Cytisus scoparius (Sarothamnus scoparius) genêt à balais

légumineuses   50-100 cm   mai-juin   ○ □

Origine : Europe. **Description** : arbuste à feuillage caduc. Les branches portent de petites
feuilles. **Exigences** : sol léger, perméable, sans calcaire, endroit abrité. **Soins** : planter au prin
temps l'arbuste muni d'une motte de terre. Les variétés doivent être couvertes de branchages
l'hiver. **Reproduction** : l'espèce primitive peut être reproduite par graines, les variétés par
boutures, marcottage ou greffes. **Utilisation** : comme exemplaire isolé dans la rocaille ou dans
le jardin de bruyère. **Variétés** : à côté de l'espèce primitive, il existe une série de belles variétés
à fleurs jaunes, rouge orangé, roses, rouge carmin, pourpres, ou rouge écarlate et aussi une
variété à fleurs bicolores : « Zeelandia » **(1)**, rose pourpre.

Daphne mezereum bois-joli

thyméléacées   100-150 cm   mars-avril   ○ ◐ ◪

Origine : Europe. **Description** : arbuste dressé, peu ramifié, à développement lent. Il fleurit
très tôt, avant l'apparition des feuilles. Les fruits rouges sont vénéneux. **Exigences** : sol
humeux, perméable. **Soins** : ne supporte pas la transplantation et doit être planté avec sa
motte de terre. **Reproduction** : assez facilement par semis. Les graines doivent d'abord être
mises en terre par procédé de « stratification » (on conserve ainsi la faculté germinative des
graines et cela permet de faire éclater la coque). Aussi par boutures. **Utilisation** : dans la
rocaille ou pour massif de vivaces. **Variétés** : l'espèce primitive a des fleurs rouge rose, mais il
existe aussi de jeunes plantes à fleurs rose saumon, rouge pourpre ou blanches.

Datura suaveolens datura odoriférant

solanacées   200-300 cm   août-octobre   ○ ◐ ◪

Origine : Mexique. **Description** : arbuste en forme de buisson, à feuilles allongées, ovales, lisses, pouvant atteindre 30 cm de long. Les fleurs sont parfumées, pendantes et de forme tubu-
laire. **Exigences** : sol lourd, riche. Avec des arrosages et de l'engrais en suffisance, la plante
fleurit avec abondance. **Soins** : la température maximum pour conserver en hiver la plante en
serre ne peut dépasser 10 à 15°. Tailler au printemps, et lorsque la température extérieure
atteint 18°C, mettre en plein air. **Reproduction** : par boutures à talon au début de l'été, ou par
semis. **Utilisation** : dans de grandes vasques, pour garnir le coin de repos, la terrasse ou un
autre endroit du jardin. **Variétés** : à côté de l'espèce primitive, il existe la var. *flore pleno* à
fleurs blanches et doubles.

Deutzia × rosea deutzia rose

saxifragacées   70-300 cm   mai-juillet   ○ ◐ ◪

Origine : cette plante est le résultat du croisement d'espèces originaires d'Asie orientale et
d'Amérique. **Description** : arbuste très ramifié, à feuilles caduques, et à fleurs de 2 cm de
large, groupées en épi court. **Exigences** : pousse bien dans tout sol de jardin. **Soins** : en coupant les vieilles branches, on facilite le développement de nouvelles pousses. **Reproduction** :
par boutures à talon en été, ou l'automne, par boutures dépourvues de feuilles. **Utilisation** :
en exemplaire isolé ou en groupes. Eventuellement aussi pour haies. **Variétés** : l'espèce primitive a des fleurs blanches dont le dessous des pétales est rougeâtre.

Euonymus europaeus   **fusain d'Europe**

célastracées   150-200 cm   mai-juin   ○ ◑ ⌐

Origine : Europe. **Description :** arbuste à tiges présentant une surface carrée en coupe trans versale. Les feuilles sont ovales, ont environ 7 cm de long et se colorent en rouge pourpre l'automne. **Exigences :** plante peu exigeante sur le sol. **Soins :** couper régulièrement les bran ches déjà anciennes, ne portant pas de fruits. **Reproduction :** par semis, tout de suite après l maturité des graines, ou bien par semis printanier de graines conservées en terre par « stratifi cation » (par ce procédé, la faculté germinative des graines est préservée, et la coque a déj éclaté). Aussi par boutures à la fin de l'hiver et an août. **Utilisation :** en groupes comme buis sons couvrant ou pour former des sous-bois. **Variétés :** on ne cultive que l'espèce primitive

Euonymus japonicus   **fusain du Japon**

célastracées   150-200 cm   mai-juin   ○ ◑ ⌐

Origine : Asie. **Description :** arbuste à port dressé, très touffu, à feuilles persistantes, ver foncé brillant, pouvant atteindre 7 cm de long. **Exigences :** il n'est rustique que dans le régions vinicoles à climat chaud, et doit, ailleurs, être cultivé en serre froide. **Soins :** plante l'arbuste avec sa motte de terre. **Reproduction :** par boutures. **Utilisation :** comme arbust décoratif dans une serre froide, et qu'on peut mettre en plein air l'été sur une terrasse ou su un balcon. **Variétés :** il y a des quantités de variétés à feuillage diversément coloré ou formé Par exemple : « Albomarginatus » à feuilles ourlées de blanc argenté ou « Aureovariegatus (2) à feuilles vert foncé à taches jaune d'or.

Forsythia × intermedia   **forsythia**

oléacées   200-250 cm   avril-mai   ○ ◑ ⌐

Origine : ce croisement a été réalisé avec des plantes originaires de Chine. **Description** arbuste à feuillage caduc. Les fleurs jaunes apparaissent avant les feuilles sur les rameaux d l'année précédente. **Exigences :** pousse dans tout sol normal de jardin. **Soins :** après la flora son, couper les vieilles branches, pour faciliter la pousse des nouveaux rameaux. **Reproduc tion :** en été, par boutures à talon, ou par boutures dépourvues de feuilles, en automne. **Util sation :** en exemplaire isolé, en groupe ou comme haie libre. L'hiver, on peut couper quelque petites branches et les mettre dans un vase. **Variétés :** les variétés les plus cultivées sont : « Pr mulina », à fleurs jaune clair ; « Spectabilis », à fleurs jaune d'or ; et « Béatrice Farrand »

Hamamelis mollis   **hamamélis de Chine**

hamamélidacées   200-300 cm   janvier-mars   ○ ◑ ⌐

Origine : Chine. **Description :** grand arbuste à feuilles caduques. Les jeunes pousses et le des sous des feuilles sont duveteux. Avant l'apparition du feuillage, il fleurit en bouquets grou pant quatre fleurs. **Exigences :** sol riche, sans calcaire. **Soins :** il doit être planté avec sa mott de terre. Au moment de la floraison, il est recommandé de couvrir l'arbuste de PVC, s'il gèl fortement. **Reproduction :** par marcottage ou par greffage sur de jeunes plantes de *H. virg niana*. **Utilisation :** en exemplaire isolé à un endroit bien en vue du jardin. **Variétés :** l'espè primitive a des petites fleurs jaune foncé, la var. « Pallida » est jaune clair, et « Brevipetala a des fleurs jaune foncé à pétales plus courts.

Hebe Andersonii hybrides (H. × andersonii)

hébé hybride, véronique arbustive

scrophulariacées 50-200 cm août-octobre ○ ◑ ◪ ■

Origine : les espèces qui ont servi à améliorer les hybrides, sont originaires de Nouvelle Zélande et d'Australie. **Description :** arbuste à feuilles persistantes, ramifié, à feuillage ovale ou allongé. Les tiges se terminent par des grappes serrées portant quantité de petites fleurs. **Exigences :** endroit chaud, abrité, sol riche. **Soins :** en été, ils peuvent être plantés en pleine terre, en hiver, il est préférable, de les garder en serre froide, à une température de 3 à 5°C. **Reproduction :** par bouturage, du printemps à la fin de l'été. **Utilisation :** en plein air, au jardin, si les conditions climatiques sont bonnes, autrement en serre. **Variétés :** parmi les variétés les plus appréciées, on peut citer « Alice Amherst », à fleurs violettes ; « Grand Orme », rose ; « La Séduisante », rouge carmin ; et « Pink Wand » (1), rose clair.

Hedera helix

lierre des bois

araliacées 30-2000 cm septembre-octobre ○ ● ◪

Origine : Europe et Asie. **Description :** plante grimpante, à feuilles persistantes, lobées, dures. Fleurs jaune-vert en ombelles. **Exigences :** pousse dans presque tous les sols de jardin. **Soins :** la plante peut être taillée court. **Reproduction :** par bouturage. **Utilisation :** garniture de murs, de grillages ou d'arbres très hauts. Aussi comme plante couvrant le sol, en exposition à l'ombre. **Variétés :** « Conglomerata » est naine à feuilles ondulées, « Sagittifolia » (2) a de petites feuilles à lobes longs et pointus.

Hydrangea macrophylla

hortensia

saxifragacées 100-200 cm juin-juillet ○ ◑ ◪ ■

Origine : Japon. **Description :** arbuste à feuilles caduques. Les fleurs sont en bouquets, celles du centre étant fertiles tandis que celles des pourtours sont stériles, et ont une corolle très colorée. **Exigences :** endroit abrité, sol légèrement acide. **Soins :** en sol alcalin, les hortensias sont rouges, en sol acide, ils sont bleus. Ils sont, en général, abîmés par les fortes gelées, mais ils se reconstituent aisément au printemps, à partir de la souche. **Reproduction :** par boutures à talon, qui s'enracinent facilement. **Utilisation :** on les plante en exemplaire isolé, ou en groupes au milieu d'une pelouse ou entre des plantes vivaces. **Variétés :** *hydrangea macrophylla* est une plante en pot très appréciée, qui peut aussi être cultivée en pleine terre. Il existe plusieurs variétés à fleurs en boules ou plates, dans les coloris blancs, roses, rouge carmin et bleus.

Hydrangea paniculata

hortensia paniculé

saxifragacées 100-200 cm juillet-août ○ ◑ ◪ ■

Origine : Chine. **Description :** arbuste peu ramifié, à branches robustes. Les feuilles sont allongées, ovales et peuvent atteindre 25 cm de long. Les épis de fleurs en pyramide ont 15 à 30 cm de longueur. **Exigences, soins, reproduction et utilisation :** les mêmes que pour l'espèce précédente. **Variétés :** l'espèce primitive a des fleurs blanches qui deviennent ensuite roses. La variété « Grandiflora » n'a que des fleurs stériles, et « Praecox » (4) fleurit déjà en juillet.

Ilex aquifolium

houx commun

aquifoliacées   200-400 cm   mai-juin   ○ ● ◪ ■

Origine : Europe occidentale et régions méditerranéennes. **Description :** arbuste touffu à feuilles persistantes, épineuses, coriaces, brillantes, dentées sur les bords et ondulées. La plante a de petites fleurs blanches, ensuite des fruits rouges. **Exigences :** sol plutôt lourd, frais endroit abrité. **Soins :** avant l'apparition des fortes gelées, il faut protéger la base de l'arbuste avec des feuilles sèches, de la tourbe et des brindilles de sapin. **Reproduction :** par bouturage ou par semis de graines préalablement stratifiées. **Utilisation :** en exemplaire isolé ou en petit groupe. **Variétés :** l'espèce primitive a des feuilles d'environ 6 cm de long. Il y a des milliers de variétés, mais la plupart d'entre elles ne supportent pas un hiver rude.

Kolkwitzia amabilis

joli buisson

caprifoliacées   200-300 cm   mai-juin   ○ □ ◪

Origine : Chine. **Description :** arbuste à feuillage caduc, un peu clairsemé. Les rameaux sont légèrement retombants et garnis de petits bouquets de fleurs en forme de clochettes. **Exigences :** sol riche, perméable. Il ne supporte pas une humidité persistante. **Soins :** planter au printemps. En coupant les branches plus anciennes, on facilite le développement des nouveaux rameaux. Par temps très froid, l'arbuste gèle, mais se reconstitue aisément à partir de la souche. **Reproduction :** par bouturage à la fin de l'été. **Utilisation :** en exemplaire isolé au milieu d'une pelouse. **Variétés :** l'espèce primitive a des fleurs roses à gorge jaune, la variété « Rosea » a des fleurs d'un ton rose soutenu.

Laburnum × watereri

cytise

légumineuses   25-350 cm   mai-juin   ○ ◑ □ ◪

Origine : les plantes à l'origine du croisement proviennent du Sud de l'Europe et de l'Asie mineure. **Description :** arbuste ou arbre peu ramifié. Les feuilles sont composées de trois folioles et les fleurs jaunes pendent en grappes. **Exigences :** le cytise est sans exigences particulières, il aime un sol calcaire et supporte une atmosphère polluée par la fumée. **Soins :** si l'hiver est très rude, l'arbuste gèle, mais il se reconstitue facilement à partir de la souche. **Reproduction :** par semis au printemps. Les variétés sont greffées sur un exemplaire de *L. anagyroides*. **Utilisation :** en exemplaire isolé dans un petit jardin, ou en groupe avec d'autres espèces. **Variétés :** la var. « Vossii » a des grappes jaune d'or de 50 cm de long.

Ligustrum vulgare

troène commun

oléacées   50-300 cm   juin-juillet   ○ ◑ □ ◪

Origine : Europe. **Description :** arbuste dressé, touffu à feuilles caduques, lancéolées à ovales, ayant 6 cm de long. Les fleurs blanches forment une grappe très garnie. Les fruits sont des baies noires et rondes. **Exigences :** sans exigences particulières, se développant facilement. Il supporte une atmosphère polluée en zone industrielle. **Soins :** il supporte une taille faite à intervalles réguliers. **Reproduction :** par boutures à talon. **Utilisation :** convient pour la confection des haies taillées. **Variétés :** à côté de l'espèce primitive, il y en a quelques autres, dont « Lodense », 50 cm de haut, qui convient pour haies basses et perd la moitié de son feuillage en automne.

Lonicera tatarica

lonicér

caprifoliacées   200-300 cm   mai-juin   ○ ● □ □

Origine : Asie centrale. **Description** : arbuste très touffu à feuillage caduc. Les fleurs ont un
tige courte et sont suivies ensuite par des baies rouges. **Exigences** : sol pas trop lourd, mai
frais. **Soins** : supporte d'être taillé court au printemps. **Reproduction** : par graines et par bou
turage en été. **Utilisation** : en groupes ou comme arbuste couvrant le sol. **Variétés** : l'espèc
primitive a des fleurs roses et des fruits rouges. La variété « Grandiflora » a de grandes fleur
blanches, « Rosea » des fleurs rose clair et « Zabelii » des fleurs rouge lumineux.

Magnolia × soulangiana

magnoliacées   300-500 cm   avril-mai   ○ ◪

Origine : résulte du croisement d'espèces originaires d'Asie orientale. **Description** : gran
arbuste ou arbre à feuillage caduc. Les fleurs apparaissent avant les feuilles. **Exigences** : so
profond, humeux, légèrement acide, endroit clair et bien abrité. **Soins** : pendant les première
années suivant la plantation, il convient, avant les gelées blanches, de protéger la souche ave
des feuilles mortes et des aiguilles de pin. S'il risque de geler la nuit, il faut recouvrir l'arbust
de PVC. **Reproduction** : le plus souvent par marcottage ou par semis de graines préalablemen
stratifiées. Les variétés se reproduisent par bouturage à talon ou par greffage. **Utilisation** : er
exemplaire isolé ou en petits groupes uniquement. **Variétés** : le croisement original a de gran
des feuilles obovales. Les fleurs en forme de coupe sont blanc-rose, lavées de pourpre à l'exté
rieur des pétales, et sans parfum. La variété « Alba Superba » a des fleurs blanches, « Len
nei » est rose pourpre, et « Rustica Rubra » rouge pourpre.

Magnolia stellata

magnolia étoilé

magnolacées   250-300 cm   mars-avril   ○ ◪

Origine : Japon. **Description** : les longues feuilles ovales peuvent atteindre 8 cm et les fleur
étoilées, parfumées ont de nombreux pétales blancs. L'arbuste fleurit sur les branches dénu
dées. **Exigences, soins, reproduction et utilisation** : les mêmes que pour l'espèce précédente
Variétés : à côté de l'espèce primitive, il existe « Rosea » à fleurs lavées de rose, mais à déve
loppement plus réduit.

Mahonia aquifolium

mahonia à feuilles de houx

berbéridacées   80-180 cm   avril-mai   ◑ ● ◪

Origine : Amérique du Nord. **Description** : arbuste peu ramifié, à feuilles persistantes, bril
lantes, divisées en un nombre impair de lobes et dentées. Les fruits sont des baies bleues. **Exi
gences** : l'arbuste n'en a pas. Il se développe dans un sol léger, riche. **Soins** : il ne requiert pa
de taille régulière. **Reproduction** : par bouturage de racines ou par semis en pleine terre. **Utili
sation** : pour former des sous-bois sous des arbres et des arbustes hauts, ou pour former des
haies libres, basses. **Variétés** : à côté de l'espèce primitive à grandes feuilles et petites fleur
jaune lumineux en grappes, il existe quelques variétés, dont « Undulata » à feuilles ondulées.

Malus hybrides

pommier à fleur

rosacées   200-300 cm   avril-mai

○ □

Origine : il est le résultat du croisement de plusieurs espèces provenant d'Europe, d'Asie e d'Amérique du Nord. **Description :** arbuste à feuillage caduc. Les feuilles ont de jolies cou leurs et les fruits ressemblent à des coings. **Exigences :** sol frais, riche. L'arbuste support l'atmosphère polluée des régions industrielles. **Soins :** la taille se résume à un simple éclaircis sement des branches. **Reproduction :** les variétés sont greffées sur des pommiers sauvages **Utilisation :** en exemplaire isolé, ou alignés le long des trottoirs. **Variétés :** « Aldenhamensis » est rouge à fleurs doubles, « Eleyi » a des fleurs rouge bordeaux, des feuilles pourpre foncé e des fruits rouge foncé, « Lemoinei » a des fleurs simples rouge foncé.

Nerium oleander

laurier rose

lauracées   200-400 cm   juin-septembre

○ ☑

Origine : régions méditerranéennes. **Description :** buisson ramifié à feuilles lancéolées gris vert, pouvant atteindre 15 cm de long. Les fleurs simples ou doubles ont un parfum agréable et sont groupées en inflorescences terminales. **Exigences :** arrosages réguliers, sol riche, emplacement abrité. **Soins :** l'hiver, il doit être gardé dans un local clair, à une température de 2 à 8°C. **Reproduction :** assez facilement par boutures de rameaux, qu'il suffit de plonger dans l'eau pour que se forment des racines. **Utilisation :** pendant l'été, sur les terrasses, les balcons et les coins de repos. **Variétés :** on cultive quantités de variétés de couleur rose, rouge, blanche, jaune crème et orange ; certaines ont des fleurs bicolores.

Osmanthus heterophyllus (Olea aquifolium)

osmanthus à feuilles de houx

oléacées   200-400 cm   septembre-octobre

○ ☑

Origine : Japon. **Description :** arbuste à feuilles persistantes, dures, dentées, qui ressemblent à celles du houx. Petites fleurs blanches agréablement parfumées. **Exigences :** endroit chaud et abrité. **Soins :** l'arbuste n'est pas rustique et doit passer l'hiver à l'abri du froid. **Reproduction :** par semis de graines tout de suite après leur maturité ou par bouturage en août. **Utilisation :** il ne peut être planté en plein air que dans les régions à climat privilégié. En général, on le cultive en pots placés en été sur les balcons et près des coins de repos. **Variétés :** on cultive plusieurs belles variétés, dont « Gultfide » **(3)** à feuilles bien formées.

Paeonia suffruticosa (P. arborea)

pivoine en arbre

paeoniacées   100-200 cm   mai-juin

○ ◑ ☑

Origine : Chine et Japon. **Description :** grandes feuilles composées, grises en-dessous. Grandes fleurs simples, doubles ou semi-doubles. **Exigences :** sol profond, frais et perméable. **Soins :** planter en septembre, de façon à ce que l'endroit où a été faite la greffe, soit recouvert de 8 cm de terre. Couvrir l'hiver. **Reproduction :** les pivoines en arbre se reproduisent à la fin de l'été, par greffe sur les racines de *P. lactiflora*. **Utilisation :** en exemplaire isolé ou en groupes. **Variétés :** on ne cultive plus l'espèce primitive, mais il existe plusieurs belles variétés de coloris blanc, rose, rouge, aussi rose saumon, rouge orangé et jaune.

Parthenocissus quinquefolia

vigne vierge vraie, vigne vierge de Virgini

vitacées   800-100 cm   juillet-août

Origine : Amérique du Nord. **Description :** plante grimpante à feuilles composées de cin
lobes. Petites fleurs insignifiantes jaune vert, suivies de baies noires. **Exigences :** sol normal d
jardin. Exposées en plein soleil, les feuilles ont une plus jolie coloration. **Soins :** la jeun
plante doit avoir un support pour grimper. **Reproduction :** par bouturage. **Utilisation :** garni
ture très appréciée pour les murs ou pour le tronc d'un arbre à cîme élevée. **Variétés :** l'espèc
primitive est assez rustique, mais elle n'a pas de ventouses ; attachez-la à un support.

Philadelphus-Virginalis hybrides (P. × *virginalis)*

seringa

saxifragacées   150-400 cm   juin-juillet

Origine : Sud de l'Europe, Asie et Amérique du Nord. **Description :** arbuste dressé, asse
ramifié, à feuillage caduc. **Exigences :** s'accomode d'un sol pauvre, et supporte l'atmosphèr
polluée des régions industrielles. Il fleurit moins en exposition ombragée. **Soins :** couper d
temps en temps les branches plus anciennes, afin de faciliter le développement de nouvelle
pousses. **Reproduction :** par boutures à talon ou par boutures dépourvues de feuilles. **Utilisa**
tion : pour haies libres et pour améliorer l'aspect des endroits insignifiants du jardin. **Varié**
tés : plusieurs belles variétés à fleurs simples, doubles ou semi-doubles, sont issues du croise
ment des espèces primitives. Par exemple, « Virginal » *(2)* à fleurs blanc pur, doubles, parfu
mées, pouvant atteindre 5 cm de large.

Polygonum baldschuanicum (Bilderdykia baldschuanica)

renouée du Turkesta

polygonacées   800-1000 cm   juillet-octobre

Origine : Asie centrale. **Description :** plante grimpante à feuillage caduc et petites fleurs e
longs épis. **Exigences :** sol normal de jardin, avec des éléments nutritifs en suffisance. Ell
supporte une atmosphère polluée. **Soins :** on peut la tailler très court sans dommage pour l
plante. **Reproduction :** par boutures à talon ou par boutures dépourvues de feuilles. **Utilisa**
tion : pour atteindre la hauteur que l'on désire, la plante doit avoir un support en lattes d
bois ou en fil de fer. **Variétés :** l'espèce primitive a des fleurs blanches avec trace de rose sur l
dessus des pétales, le dessous étant plus foncé.

Potentilla fruticosa

potentill

rosacées   30-150 cm   mai-août

Origine : Asie du Sud-Est et Amérique du Nord. **Description :** arbuste très ramifié, à petite
feuilles caduques. Pendant presque tout l'été, il est garni de petites fleurs jaunes. **Exigences**
sol profond, pas trop lourd. **Soins :** tailler chaque année, au printemps, en supprimant le
vieilles branches. **Reproduction :** par boutures à talon. **Utilisation :** dans la rocaille, en mas
sifs ou devant des arbustes plus hauts. **Variétés :** l'espèce primitive, de 120 cm de hauteu
environ, a des fleurs jaunes. Il existe plusieurs variétés à fleurs blanches, jaunes ou presqu
orange. Par exemple, « Hurstbourne » **(4)**, arbuste nain à fleurs jaune clair.

Prunus laurocerasus (Laurocerasus officinalis)

laurier amande, laurier ceris

rosacées   100-200 cm   avril-mai   ○ ● □

Origine : Europe du Sud-Est et Asie mineure. **Description :** arbuste à larges branches, et feuilles persistantes, dures, allongées. Les petites fleurs blanches se tiennent en grappes étroites et dressées. Les fruits sont d'un noir rougeâtre et à noyau. **Exigences :** bon sol riche et possible, emplacement abrité. L'arbuste apprécie un sol calcaire. **Soins :** une taille régulièr n'est pas indispensable. **Reproduction :** l'espèce primitive par semis en février, les variétés pa bouturage. **Utilisation :** pour former des sous-bois sous des arbustes plus élevés. **Variétés :** côté de l'espèce primitive, il existe de belles variétés, telles que « Caucasica », à grandes feui les larges ; « Otto Luyken », à feuilles étroites et pointues ; « Reynvanii », à feuilles étroite vert clair ; « Schipkaensis », à feuilles vert foncé et à grand développement ; et « Zabeliana qui est un arbuste peu développé, à larges branches basses.

Prunus padus

merisier à grappe

rosacées   800-1000 cm   avril-mai   ○ ● ◩

Origine : Europe et Asie. **Description :** arbuste en forme de buisson, à branches retombante Feuilles pointues et fleurs blanches parfumées en grappes inclinées. **Exigences :** arbuste sa exigences particulières, résistant et appréciant un sol calcaire. **Soins :** il n'est pas indispensab de le tailler. **Reproduction :** par semis de graines préalablement stratifiées. **Utilisation :** po former des sous-bois, ou comme plante couvrant le sol. **Variétés :** à côté de l'espèce primitiv il existe la variété « Watereri » à longues grappes de fleurs blanches.

Prunus triloba

prunus trilobé à fleurs double

rosacées   150-250 cm   mars-avril   ○ ◻

Origine : Chine. **Description :** arbuste très ramifié, à larges branches et feuilles ovales à tro lobes. **Exigences :** bon sol de jardin et endroit abrité. **Soins :** il n'est pas nécessaire de le taill régulièrement. **Reproduction :** par greffe sur un prunier. **Utilisation :** en exemplaire isolé o en petits groupes. **Variétés :** l'espèce primitive a des fleurs rose clair, mais on cultive surtout l variété « Multiplex » (3) à fleurs roses doubles.

Pyracantha coccinea

buisson arden

rosacées   200-240 cm   mai   ○ ◑ □ ◻

Origine : Europe du Sud-Est et Asie. **Description :** arbuste à feuilles persistantes. Fleurs bla ches en ombelles bien garnies, qui donnent plus tard de beaux fruits rouges. **Exigences** pousse dans tout sol normal de jardin plutôt sec qu'humide. **Soins :** planter l'arbuste au pri temps, avec sa motte de terre. Il supporte d'être taillé court. **Reproduction :** par bouturage e été. Aussi par semis en pleine terre, mais les graines doivent avoir été préalablement stratifiée **Utilisation :** en exemplaire isolé, aussi en petits groupes ou pour une haie vive très touffu **Variétés :** il existe plusieurs variétés, dont « Golden Charmer » à fruits jaune d'or, « Kasan à fruits rouge écarlate et « Orange Charmer » à fruits rouge orangé.

Rhododendron hybridum

rhododendro

éricacées   150-300 cm   avril-mai   ○ ● ◨ ▰

Origine : il est le résultat du croisement de plusieurs espèces différentes, provenant d'Asie
d'Amérique du Nord. **Description :** arbuste à feuilles persistantes, coriaces, lisses, et à gran
des fleurs en entonnoir, se présentant en bouquets. **Exigences :** sol humeux avec un pH de 4,
à 5,2. Il convient de l'améliorer en y ajoutant du terreau de feuilles et de la tourbe. Une atmo
phère fraîche leur est très favorable. L'eau d'arrosage ne doit pas contenir de calcaire. **Soins**
le meilleur moment pour planter est en avril et en mai. On fait tremper les mottes dans l'eau
pendant plusieurs heures, avant la plantation, jusqu'à ce qu'elles soient bien détrempées. Le
espèces hybrides sont en général rustiques, mais il est recommandé de protéger l'arbuste, per
dant l'hiver, avec des branches de sapin, et de couvrir le sol, autout du pied, avec une couch
de feuilles mortes à moitié décomposées et d'aiguilles de pin. L'arrosage en hiver est aus
nécessaire. On enlève les fleurs fanées en cassant la tige avec précaution. Pour favoriser l
développement des fleurs, il faut arroser de temps en temps avec du purin dilué. **Reprodu**
tion : par marcottage, bouturage ou greffage. **Utilisation :** en exemplaire isolé ou en groupe
placés à la mi-ombre, sous des feuillus. **Variétés :** on cultive aujourd'hui plusieurs variétés
fleurs blanches, roses, rouges ou violettes, ou en différentes associations de couleurs. Les plu
appréciées sont « Antonin Dvorak » **(1)**, violet à nuance carmin ; « Aurora », rose foncé
floraison tardive ; « Cunningham's White », blanc à floraison hâtive ; « Don Juan », roug
lumineux, hâtif ; « Duke of York », rose avec un œil et semi-hâtif ; « Oméga », rose carmin
tardif.

Rhododendron ledikamense

éricacées   40-100 cm   mai   ◐ ▰

Origine : Himalaya. **Description :** petit arbuste relativement peu ramifié. Les feuilles son
partiellement caduques. **Exigences, soins et reproduction :** les mêmes que pour l'espèce précé
dente. **Utilisation :** dans la rocaille ou le jardin de bruyère. **Variétés :** il n'existe que l'espèc
primitive.

Rhododendron molle (Azalea mollis)

rhododendron de Chin

éricacées   100-150 cm   mai-juin   ◐ ● ▰

Origine : Asie. **Description :** arbuste à feuillage caduc vert clair et à fleurs tachetées de vert
Exigences, soins, reproduction et utilisation : les mêmes que pour l'espèce précédente. **Varié**
tés : il existe un très grand choix de variétés horticoles améliorées, dans les tons jaunes, roug
orangé, rouges et roses. Par exemple la var. « Dagmar » **(3)**.

Rhododendron obtusum

rhododendron à feuilles obtuse

éricacées   30-70 cm   avril-mai   ◐ ● ▰

Origine : Japon. **Description :** petit arbuste à feuillage caduc et fleurs roses. **Exigences, soins**
reproduction et utilisation : les mêmes que pour l'espèce précédente. **Variétés :** on ne cultiv
plus l'espèce primitive, mais il existe plusieurs variétés améliorées, par exemple « Misik » **(4)**
fleurs roses.

Rhododendron schlippenbachii   **rhododendron de Schlippenbac**

éricacées   150-200 cm   avril-mai

Origine : Corée et Mandchourie. **Description :** fleurs en entonnoir, d'un blanc rosé, tacheté de brun-rouge à l'intérieur. **Exigences, soins, reproduction et utilisation :** les mêmes que pou les autres espèces de rhododendrons. **Variétés :** on ne cultive que l'espèce primitive, qui a d fleurs de 7 cm de large.

Rhodotypos scandens (R. kerrioides)   **rhodotypo**

rosacées   100-200 cm   mai-juin

Origine : Japon et Chine. **Description :** arbuste touffu, épineux, à feuillage caduc. L'écor est brunâtre et les feuilles ont 10 cm de long. Les fleurs d'un blanc pur ont 4 cm de large. L fruits, semblables à de petites noix noires, sont disposés au centre des sépales. **Exigences** plante sans exigences particulières. **Soins :** l'arbuste gèle si l'hiver est très rigoureux, mais repousse aisément au printemps à partir de la souche. **Reproduction :** par boutures à talon, o par semis de graines, tout de suite après la récolte. **Utilisation :** en petits groupes, dans u massif de buissons. **Variétés :** on ne cultive que l'espèce primitive, il n'y a pas encore de vari tés.

Ribes sanguineum   **groseillier sanguin à fleurs rouge**

saxifragacées   150-250 cm   avril-mai

Origine : Californie. **Description :** arbuste à port dressé, à feuilles caduques et palmées. L petites fleurs groupées en grappes sont composées de cinq pétales et apparaissent avant l feuilles, sur toute la longueur des branches. Les fruits sont des baies d'un bleu noir. **Exige ces :** sol riche. **Soins :** pour éviter un trop grand développement de l'arbuste, il faut le taill régulièrement après la floraison. **Reproduction :** surtout par bouturage. **Utilisation :** en gro pes de même espèce ou en groupes mélangés. **Variétés :** l'espèce primitive a des fleurs rose Les feuilles sont vert foncé à nervures très visibles, veloutées en-dessous. Il existe aussi d variétés à coloration très vive, comme « Atrorubens », à petites fleurs, néanmoins très visibl par leur coloris rose vif ; « Carneum », à grandes fleurs rose clair ; « King Edward VII > moins développée, à fleurs rose foncé ; « Pulborough Scarlet », à grand développement et fleurs rose carmin très apparentes.

Robinia hispida   **acacia ros**

légumineuses   150-200 cm   juin-septembre

Origine : Mexique et Etats-Unis d'Amérique. **Description :** arbuste peu ramifié, sans épines, branches recourbées et feuilles imparipennées. Les fleurs sans parfum se tiennent en grapp courtes, pendantes. **Exigences :** se développent mieux dans un sol pauvre que dans un sol ric et supporte la pollution atmosphérique. Choisir un endroit abrité, car les branches sont facil ment cassées par le vent. **Soins :** il faut supprimer régulièrement les drageons qui poussent à base de l'abuste. **Reproduction :** par greffe sur *R. pseudoacacia,* juste au-dessus du niveau d sol, ou bien alors à la tête de l'arbuste. **Utilisation :** en exemplaire isolé ou en petits groupe **Variétés :** l'espèce primitive a des fleurs roses et n'a que 150 cm de haut. La va « Macrophylla » est plus grande et fleurit pendant deux semaines environ.

Rosa rugosa

rose rugueus

rosacées   150-200 cm   mai-septembre   ○ ◐

Origine : Chine, Japon, Corée. **Description :** rameaux touffus et robustes à petites feuille
vert foncé, fleurs rouge carmin et fruits **(2)** rouge orangé très décoratifs. **Exigences :** l'arbust
est tout à fait rustique et pousse aussi dans les sols pauvres, sableux. **Soins :** comme pou
l'espèce suivante. **Reproduction :** par semis ou bouturage. **Utilisation :** en exemplaire isolé o
en groupes. Convient bien pour la confection de haies impénétrables. **Variétés :** à côté d
l'espèce primitive **(1)**, on cultive quelques variétés, telles que « Blanc Double de Coubert »,
fleurs blanches doubles ; « Frau Dagmar Hastrop », rose clair ; « Roseraie de l'Hay », roug
pourpre, à fleurs parfumées ; « Pink Grootendorst », à petites fleurs rose saumoné.

Rosa hybrida

ros

rosacées   15-300 cm   mai-octobre   ○ ◨

Origine : Asie. **Description :** arbuste épineux, buissonnant ou grimpant. Les fleurs sont soli
taires ou en bouquets. **Exigences :** sol profond, humeux, frais, perméable et riche. Le pH doi
être de 6 à 7. **Soins :** avant de planter en automne, il faut retourner la terre sur 40 cm de pro
fondeur au minimun, et ajouter du fumier organique ou de la tourbe. La meilleure époqu
pour planter s'étend de mi-octobre à fin novembre. On raccourcit les racines d'un tiers à un
moitié. La partie visible du rosier ne se taille qu'au printemps : les rosiers à grandes fleurs,
fleurs en bouquets et les rosiers tiges sont coupés en général au-dessus des trois ou quatre pre
miers yeux comptés à partir de la base. Les rosiers grimpants et les rosiers arbustes, par con
tre, sont coupés au-dessus des cinq ou six premiers yeux. Le point de greffe doit être recouver
par 5 cm de terre. Les rosiers à grandes fleurs et les rosiers à fleurs en bouquets se plantent
une distance de 25 à 35 cm les uns des autres. Pour les rosiers miniatures, on observe une dis
tance de 20 à 25 cm entre deux plantes, pour les rosiers tiges, 120 à 150 cm. Quant aux rosier
arbustes, on les espace de 100 à 300 cm selon leur développement. Chaque année, pendant l
première quinzaine de mars, on raccourcit les branches des rosiers à grandes fleurs et celles de
rosiers à fleurs en bouquets jusqu'au troisième, quatrième ou cinquième œil. Pour les rosier
grimpants et les rosiers arbustes, il suffit d'enlever les vieilles branches ainsi que les pousse
sauvages ou « gourmands ». Il ne faut pas donner d'engrais aux rosiers fraîchement plantés
avant qu'ils ne soient bien enracinés. A ceux qui sont en place depuis plusieurs années, on peu
donner, en mars, de l'engrais complet à raison de 100 gr au m². Par la suite, on ne donnera
toutes les deux semaines, jusqu'à fin juin, que 30 gr par m². En automne, les branches de
rosiers tiges sont recourbées vers le sol et leur extrémité est enfouie dans le sol. Quant à la tige
on l'entoure de branches de sapin. Pour les rosiers arbustes, il suffit d'entasser la terre autou
du pied, sur une hauteur de 20 cm. **Reproduction :** par greffage sur *R. canina*. **Utilisation :** le
rosiers à grandes fleurs, les rosiers à fleurs en bouquets et les rosiers miniatures se plantent
toujours en groupes d'au moins trois à cinq plantes de la même espèce. Les rosiers miniatures
conviennent bien pour la rocaille, les vasques ou les jardinières. Les rosiers grimpants garnissent les murs, les pergolas, les colonnes, les portails et les parties de jardin en pente. Les
rosiers arbustes sont bien mis en valeur lorsqu'ils sont plantés en exemplaires isolés, car ils
prennent beaucoup de place. **Variétés :** le très vaste choix a entraîné la répartition de variétés
améliorées en plusieurs groupes :
• « Rosiers à grandes fleurs » : la tige ne porte en général qu'une seule fleur. Cette espèce
convient bien pour la fleur coupée. Parmi les variétés les plus appréciées, on peut citer « Bet
tina » **(3)**, de couleur pêche ; « Dr A.J. Verhage » **(4)**, jaune d'or ; « Ena Harkness », rouge
carmin ; « Gloria Dei », jaune ourlé de rouge ; « Grâce de Monaco », rose ; « Intermezzo »,
bleu argenté ; « Joséphine Bruce », rouge foncé ; « Reine des Roses », jaune ourlé d'orange
« Konrad Adenauer », rouge sang ; « Kordes Perfecta », crème ourlé de rose ; « Message ».

blanc verdâtre ; « Maria Callas » (1), rose foncé ; « Michèle Meilland », bleu argenté
« Montezuma », rouge saumon ; « Nouvelle Revue » (2), blanc jaunâtre à bord rouge
« New Yorker », rouge bordeaux ; « Pascali », blanc ; « Piccadilly », pétales rouges, jaune
d'or en-dessous ; « Poinsettia », rouge écarlate ; « Président H. Hoover », orange ; « Rei
des Bermudes » (3), rouge orangé ; « Rendez-vous », rouge lumineux ; « Spek's Yellow
jaune d'or ; « Sterling Silver », bleu argenté ; « Super Star », orange vif ; « Sutter's Gold
jaune lumineux, avec de l'orange ; « Tahiti », jaune avec du rose ; « Texas Centennial
rouge orangé ; « Tzigane », pétales rouge écarlate, jaunes en-dessous ; « Oncle Walter
rouge écarlate ; « Westminster », pétales rouges, jaunes en-dessous ; « Charme Viennois
brun orangé ; « Virgol », blanc ; et beaucoup d'autres encore.

• « Rosiers à fleurs en bouquets » : ils portent, à l'extrémité de la tige, une quantité de fleur
plus ou moins grandes, groupées en ombelles. Ils ont un développement réduit et on les plan
surtout en groupes dans les massifs. Les variétés appréciées sont « Alain », rouge foncé
« Allgold », jaune d'or ; « Circus », jaune avec trace de rouge ; « Concerto », rou
orangé ; « Europeana » (4), rouge ; « Fanal », rouge lumineux ; « Farandole », rouge b
que ; « Fashion », rose saumoné ; « Lili Marleen », rouge feu ; « Mascarade », jaune d'
virant sur le rouge ; « Orange Triumph », rouge écarlate avec de l'orange ; « Pinocchio
rose saumoné sur fond jaune ; « Polka », vieux rose ; « Rimosa », jaune avec du rouge
« Salmon Perfection », rouge saumoné ; « Sarabande », rouge orangé ; « Spartan », rou
orangé ; « Titien », rose saumoné.

• « Rosiers grimpants » : ils forment de longues pousses qui, avec les années, se ramifient. I
portent des fleurs en ombelles dressées ou retombantes. Parmi les variétés qui donnent sati
faction, on peut citer entre autres : « Blaze », rouge carmin ; « Climbing Goldilocks », jau
pur ; « Cocktail », rouge à centre crème ; « Coral Dawn », rose corail ; « Danse d
Sylphes », rouge vif ; « Dorothée Perkins », rose ; « Dortmund », rouge feu ; « Excelsa
rouge carmin ; « Fugue », rouge grenat ; « Golden Climber », jaune d'or ; « Golden Sh
wers », jaune citron ; « Guinée », rouge foncé velouté ; « New Dawn », rose clair ; « Paul
Scarlet Climber », rouge écarlate.

• « Rosiers miniatures » : ils ont de toutes petites feuilles ainsi que de petites fleurs et garde
une forme basse. Par exemple : « Baby Darling », orange ; « Bébé Mascarade », fleurs ja
nes et rouge-rose ; « Bit o'Sunshine », jaune canari ; « Colibri », jaune orangé ; « Cri-Cri
rose ; « Little Cuckaroo », rouge écarlate à pointe blanche ; « Petit Flirt », jaune-rouge
« Perle d'Alcanada », rouge carmin foncé ; « Perle Rose », rose ; « Scarlet Gem », rou
écarlate orangé ; « Trinket », rose ; « Ya metsu-Hime », blanc et rose.

Salix rojo

sau

salicacées   300-400 cm   avril-mai   ○ □

Origine : Asie. **Description** : arbre à feuillage caduc et à fines branches retombantes. **Exige** ces : sans exigences particulières pour le sol. **Soins** : on peut le tailler sans inconvénie **Reproduction** : par boutures à talon. **Utilisation** : en exemplaire isolé. **Variétés** : à côté l'espèce primitive, il existe la variété « Flexuosa » **(1)** à belles branches retombantes.

Spiraea × arguta

spirée argu

rosacées   150-200 cm   avril-mai   ○ ◖ □

Origine : les arbustes à l'origine de ce croisement proviennent d'Asie du Sud. **Description** arbuste à feuillage caduc et à branches retombantes, brun foncé. Elles sont couvertes à la fl raison, de petites fleurs blanches en ombelles. **Exigences** : se contente de tout sol normal jardin et supporte une atmosphère polluée. Il fleurit mal en exposition ombragée. **Soins** : ch que année, après la floraison, couper les vieilles branches. **Reproduction** : par bouture à talc ou par boutures dépourvues de feuilles. **Utilisation** : en exemplaire isolé dans un petit jardi en groupes ou pour former une haie libre. **Variété** : on ne cultive que l'espèce primitive.

Spiraea-Bumalda hybrida (S × bulmalda)

spir

rosacées   50-60 cm   juillet-septembre   ○ ◖ □

Origine : les ancêtres de cet arbuste proviennent d'Asie du Sud-Est. **Description** : petit arbus touffu à feuilles lancéolées. **Exigences** : n'a pas d'exigences particulières et supporte l'atmo phère polluée des régions industrielles. **Soins** : tailler en hiver ou au printemps. Donner rég lièrement de l'engrais pour faciliter le développement. **Reproduction** : par bouturage ou aus par pousses secondaires. **Utilisation** : pour haies. **Variétés** : l'espèce primitive a des fleu blanc-rose. Parmi les variétés, on cultive surtout « Anthony Waterer » **(3)** à fleurs rose ca min, « Froebelii » à fleurs pourpre foncé, et « Pruhoniciana » à fleurs rose pur.

Syringa vulgaris hybrida

lilas commu

oléacées   200-300 cm   mai   ○ ◖

Origine : Sud-Est de l'Europe. **Description** : arbuste ou arbre à feuilles caduques, en forme cœur. Les fleurs en épis ont un parfum agréable. **Exigences** : le lilas n'a une floraison abo dante que dans un sol profond, riche. **Soins** : supprimer régulièrement les drageons ou pou ses sauvages se développant au pied de l'arbre. **Reproduction** : par bouture sur *S. vulgari* **Utilisation** : par exemplaire isolé ou en groupes. **Variétés** : toutes les variétés se distinguent l unes des autres par la forme, l'aspect et la couleur des fleurs. On peut citer « Ambassadeur **(4)**, à fleurs bleues, simples ; « Primerose », jaune clair à fleurs simples ; « Charles Joly rouge pourpre à fleurs doubles ; « Catherine Havemeyer », rose lilas à fleurs double « Madame Lemoine », blanc à fleurs doubles.

Tamarix pentandra

tamaris à cinq étamine

tamaricacées 300-600 cm août-septembre ○ □ ◰

Origine : Sud de l'Europe et Asie. **Description** : arbuste ou arbre à feuilles caduques, et longs rameaux garnis de petits épis groupant quantités de minuscles fleurs roses. **Exigences** sol léger, perméable, sans calcaire. **Soins** : planter l'arbuste au printemps avec sa motte d terre. Les tamaris plantés depuis plusieurs années ne supportent pas la transplantation. **Repr** duction : par bouture à talon, et par boutures dépourvues de feuilles. **Utilisation** : c'est e exemplaire isolé que le tamaris est le mieux en valeur. Il peut aussi former des haies au littora **Variétés** : l'espèce primitive a des fleurs rose vif, la variété « Rubra » a des fleurs rouge ca min.

Viburnum carlesii

viorne de Carle

caprifoliacées 120-180 cm avril-mai ○ ◑ □ ◰

Origine : Corée. **Description** : arbuste se développant en largeur. Les rameaux ont un aspe feutré et se terminent par des petites fleurs groupées en ombelles, devenant ensuite des fruits noyau. **Exigences** : sol de jardin frais, riche. **Soins** : une taille régulière n'est pas nécessair On le plante avec sa motte de terre. **Reproduction** : par boutures à talon ou par greffage su *V. lantana*. **Utilisation** : en exemplaire isolé ou en petits groupes. **Variétés** : l'espèce primitiv a des fleurs très parfumées blanches, avec traces de rouge. Il existe aussi quelques belles vari tés à fleurs de coloris très intense. Par exemple « Aurora » dont les fleurs sont rouges, pu roses.

Weigela hybrida

weigel

caprifoliacées 150-300 cm mai-juillet ○ ◑ ◰

Origine : il provient du croisement d'espèces d'Asie du Sud-Est. **Description** : arbuste dress à branches légèrement arquées, portant des fleurs tubuleuses réparties en bouquets. **Exigen** ces : les fleurs ne sont abondantes que si le sol contient des éléments nutritifs en suffisanc **Soins** : chaque année, en automne, donner du fumier à l'arbuste. Couper les rameaux dont l floraison est terminée. **Reproduction** : par boutures à talon. **Utilisation** : arbuste appréci pour former des groupes sur terrain plat. **Variétés** : « Bristol Ruby » (3), à fleurs rouge ca min foncé et gorge plus claire ; « Eva Rathke », rouge carmin, à développement plus réduit « Newport Red », à fleurs rouge violet et à grand développement.

Wisteria sinensis

glycine de Chin

légumineuses 800-1000 cm avril-mai ○ ◰

Origine : Asie du Sud-Est. **Description** : plante grimpante à floraison très abondante. L feuilles sont imparipennées et peuvent avoir de sept à treize folioles. Les fleurs se présentent e longues grappes pendantes. **Exigences** : un sol riche favorise la floraison. L'emplacemen choisi doit être chaud et abrité. **Soins** : au début d'août, rabattre les pousses robustes à un longueur de 20 cm, la floraison n'en sera que meilleure. **Reproduction** : par marcottage. Util **sation** : pour garnir les murs des maisons, mais il faut palisser l'arbuste. **Variétés** : l'espèc primitive a des fleurs bleu lilas. Mais il existe des glycines à fleurs gris-bleu ou blanches. Le variétés à fleurs bleu pur sont très recherchées.

Cedrus atlantica

cèdre de l'atla

pinacées 500-3000 cm ○ □ ◰

Origine : Alger et le Maroc. **Description :** arbre de forme irrégulière. Les aiguilles son piquantes et réunies en bouquets. Les pommes de pin tombent quand elles sont mûres. **Exigen ces :** sol perméable, endroit chaud et abrité. **Soins :** couvrir l'hiver pendant les première années après la plantation. **Reproduction :** par semis et par bouturage ; les espèces de jardi par greffage. **Utilisation :** arbre solitaire faisant un bel effet sur une pelouse assez grande **Variétés :** à part l'espèce primitive **(1)**, on cultive certaines variétés horticoles, telles qu « Glauca » à aiguilles bleu métallisé ou « Pendula » à ramifications secondaires pendantes

Chamaecyparis lawsoniana

cyprès de Lawso

cupressacées 200-2000 cm mars-avril ○ ◑ □ ▢

Origine : Californie et Orégon. **Description :** arbre très ramifié, en forme de cône étroit aiguilles gris-vert, écailleuses. **Exigences :** bon sol de jardin, endroit ensoleillé. **Soins :** plante en septembre ou en avril, avec la motte de terre. **Reproduction :** l'espèce primitive par semis les variétés par bouturage ou greffage. **Utilisation :** en exemplaire isolé ou en groupes Convient aussi pour haies. Les cyprès nains se plantent dans la rocaille ou dans des vasques **Variétés :** à côté de l'espèce primitive, il y a des variétés intéressantes, telles que « Allumii » bleu métallisé, 5 à 10 m de haut ; « Ellwoodii », glauque, 2 à 3 m de haut ; « Filiformis », feuillage vert, très fin, retombant, 2 m de haut seulement ; « Minima Glauca » **(2)**, petit rameaux à aiguilles bleu-vert, 1 m de haut.

Chamaecyparis obtusa

cyprès à feuilles obtuse

cupressacées 100-2000 cm mars-avril ○ ◑ □ ◰

Origine : Japon. **Description :** arbuste ou arbre en forme de large cône. Les branches s'éla gissent en éventail. Les feuilles sont vert foncé, écailleuses. **Exigences :** emplacement abrité air humide et bon sol. **Soins :** planter au printemps ou en automne avec la motte de terre **Reproduction :** l'espèce primitive par semis, les variétés par bouturage. **Utilisation :** les espè ces basses dans la rocaille ou entre des plantes vivaces, les autres, en groupes ou en exemplai res isolés. **Variétés :** en plus de l'espèce primitive, on cultive de belles variétés, dont « Cripp sii », à petits rameaux retombants et à aiguilles jaune d'or, qui peut atteindre 5 m de haut « Nana », 60 cm de haut seulement, très touffu, en forme de boule aplatie ; « Nana gracilis » **(4)**, 100 à 150 cm de haut, qui pousse très lentement avec des rameaux en éventail et des aiguil les vertes, écailleuses ; « Pygmaea », à rameaux en éventail et écailles brun-vert, qui ne dépasse pas 2 m ; « Tetragona Aurea » **(3)**, forme naine en boule et à rameaux jaune d'or.

Juniperus communis

genévrier commun

cupressacées   30-1000 cm   avril-mai

○ ◑ □ ◪

Origine : Europe, Asie et Amérique du Nord. **Description** : arbuste ou arbre en forme de cylindre étroit. Les feuilles sont pointues, en aiguilles, gris-vert avec une ligne blanche sur le dessus. **Exigences** : arbuste sans exigences particulières, il pousse dans un sol perméable, mais ne supporte pas une atmosphère polluée. **Soins** : les racines touffues et peu profondes permettent sa transplantation, même après plusieurs années. **Reproduction** : l'espèce primitive par semis de graines, qui doivent être stratifiées dès la récolte. Les variétés par bouturage ou, pour certaines, par greffage. **Utilisation** : les genévriers en forme de colonne se plantent en exemplaire isolé dans les endroits un peu sauvages, dans le jardin de bruyère ou sur les pelouses, les espèces naines dans la rocaille. **Variétés** : l'espèce primitive peut atteindre 10 m de haut. La variété « Compressa » **(1)** a 1 m seulement, pousse lentement, est de forme cylindrique et couverte de rameaux dressés à feuillage vert doux ; « Hibernica » **(2)** (« Stricta ») peut atteindre 4 m et a des aiguilles gris-bleu ; « Hornibrockii » est rampant avec des aiguilles vert clair, a 50 cm de haut et peut avoir 2 m de large ; « Oblongo pendula » est une colonne d'environ 3 m de haut avec des petits rameaux retombants et des aiguilles d'un vert frais ; « Repanda » n'a que 30 cm de haut et 150 cm de large et a des aiguilles vert foncé.

Juniperus conferta

genévrier du Japon

cupressacées   30-100 cm

○ ◑ □ ◪

Origine : Japon et île Sakhaline. **Description** : arbuste bas à aiguilles écailleuses. **Exigences** : sol de jardin suffisamment perméable. **Soins** : planter au printemps avec la motte de terre. **Reproduction** : par bouturage. **Utilisation** : comme plante couvrant le sol, éventuellement dans la rocaille. **Variétés** : seule l'espèce primitive **(3)** est cultivée. Il n'y a ni variétés, ni sous-espèces.

Juniperus squamata

genévrier écailleux

cupressacées   50-300 cm

○ ◑ □ ◪

Origine : Afghanistan et Chine. **Description** : arbuste à port irrégulier, à feuilles en aiguilles, verticillées. **Exigences** : arbuste sans exigences, il lui faut un sol perméable, et il supporte aussi la sécheresse. **Soins** : il se plante au printemps ou en automne. **Reproduction** : facilement par bouturage. **Utilisation** : en exemplaire isolé au milieu d'une pelouse, ou dans un massif de vivaces. Les formes basses dans la rocaille. **Variétés** : on cultive peu l'espèce primitive **(4)**, mais plutôt les variétés. Par exemple, « Blue Star », variété nouvelle de très belle forme, à aiguilles bleu argenté ; « Meyeri », de 2 m de haut environ, à développement lent, à port dressé et à aiguilles bleues ; « Wilsonii », variété naine à port plutôt dressé, convenant pour une grande rocaille.

Picea pungens

sapin bleu

pinacées   100-2000 cm

○ ◐ ◪ ■

Origine : Amérique du Nord. **Description :** arbre en forme de boule, à branches verticillées, et racines peu profondes. Les aiguilles, qui sont carrées en coupe transversale, se tiennent tout autour des branches et des rameaux. Pommes de pin suspendues, ne tombant pas. **Exigences :** atmosphère assez humide, air pur et bon sol de jardin. **Soins :** les arbustes récemment greffés doivent être attachés à un support. **Reproduction :** l'espèce primitive par semis en pleine terre au printemps. Les variétés par greffage en serre et les espèces naines par bouturage. **Utilisation :** en exemplaire isolé, en petits groupes, ou pour former des haies. Les espèces naines conviennent pour la rocaille. **Variétés :** le terme « Glauca » désigne les variétés à aiguilles gris-bleu ; « Glauca Globosa » **(1)** est une variété naine de 1 m de haut.

Pinus heldreichii

pin de Heldreich

pinacées   50-700 cm

○ □ ◪

Origine : Balkans. **Description :** arbre poussant lentement, à développement pyramidal. Les aiguilles sont d'un vert frais et les rameaux sont dressés. **Exigences :** espèce sans exigences, pousse aussi en sol pauvre et caillouteux. **Soins :** les vieux arbres supportent mal la transplantation. **Reproduction :** par greffage en serre sur les pins locaux. **Utilisation :** en exemplaire isolé, les variétés naines dans la rocaille. **Variétés :** « Schmidtii » **(2)**, arbuste assez rare, nain et très ramifié, de 50 cm de haut seulement.

Taxus baccata

if commun

Taxacées   60-1500 cm   mars-avril

○ ● ◪

Origine : Europe. **Description :** arbre très ramifié, à croissance lente. Les aiguilles sont plates, vert foncé et plus claires en-dessous. Le fruit est une baie à pulpe rouge. **Exigences :** se développe dans tout sol de jardin. **Soins :** il ne supporte pas les gelées blanches, c'est pourquoi il faut prévoir une protection de brindilles de sapin. **Reproduction :** par semis de graines préalablement stratifiées, aussi par bouturage en été et en automne. **Utilisation :** en exemplaire isolé aussi bien qu'en groupes. Il peut être taillé sans inconvénient, et sert, de ce fait, à former des haies taillées. **Variétés :** en plus de l'espèce primitive **(3)**, on cultive quelques variétés. Par exemple « Elegantissima », buisson à développement irrégulier, de 3 à 5 m de haut, à aiguilles jaune d'or ; « Erecta » (« Stricta »), à port en pyramide large ; « Fastigiata » (« Hibernica »), à port en colonne, peut atteindre 3 m de haut ; « Repandens », de 60 cm à 3 m de haut, a des aiguilles vert foncé.

Thuja orientalis

thuja de Chine

cupressacées   100-800 cm   avril-mai

○ ◪ ■

Origine : Chine. **Description :** arbre à port en boule, plutôt ovoïde, à rameaux en forme d'éventails et à feuilles écailleuses, vert clair, brunâtre en hiver. **Exigences :** endroit plutôt chaud. **Soins :** au moment de la plantation, il faut ajouter beaucoup de tourbe à la terre. **Reproduction :** l'espèce primitive par semis, les variétés par bouturage. **Utilisation :** en exemplaires isolés aussi bien qu'en groupes. Convient aussi pour haies. **Variétés :** on cultive surtout « Aurea » **(4)**, à aiguilles jaune d'or et « Nana », variété naine à feuillage vert.

ndex des noms latins

Index des noms français

A

B

C

Et pour en savoir plus...

consultez l'ouvrage de Monsieur Jardinier qui répond à « 100 questions sur »

Le jardin d'agrément.

Vous y apprendrez par exemple :

49 *Quand et comment bouturer un hortensia ?*

On peut pratiquer le bouturage d'été ou le bouturage de printemps.

● En été, on prélève aux mois de juillet-août l'extrémité des pousses de l'année non encore **aoûtées**. Ces boutures sont dites de tête. Elles ont environ 10 à 15 cm de diamètre et sont coupées sous un **nœud**. Les feuilles du bas sont supprimées, on ne conserve que le bourgeon terminal et les

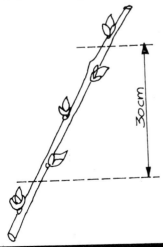

deux feuilles voisines qui sont réduites de moitié. On place les boutures en plein **terreau**, côtes à côtes dans un **coffre** froid couvert d'un châssis et protégé d'une claie pour éviter le soleil direct. Des **bassinages** nombreux entretiennent une humidité permanente. L'enracinement est achevé en 6 à 8 semaines. Les boutures racinées peuvent être **hivernées** sur place et sont plantées au printemps.

● Le bouturage de printemps se fait au départ de rameaux d'un an, bien droits et dont le diamètre est d'environ 1 cm. Les boutures ont 30 cm de longueur environ et sont coupées au-dessus et en-dessous d'un **œil.** Elles sont piquées directement en pleine terre, à 20 cm de profondeur environ

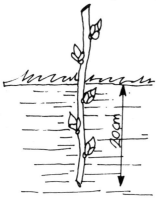

de manière à ne laisser hors du sol que deux paires de bourgeons qui donneront rapidement naissance à des rameaux constituant après un an des sujets bons à être plantés. Les boutures ligneuses plantées au printemps peuvent aussi être prélevées en automne, auquel cas elles sont hivernées en **jauge** jusqu'à la mise en place.

Mois par mois, suivez le cortège des saisons!

"Si vous voulez avoir la main verte toute l'année, consultez cet agenda. Véritable calendrier pratique du jardinier, il vous explique les différents travaux à effectuer au fil des mois; quand et comment les réaliser avec le plus d'efficacité..."

Et pour compléter votre collection...

Voici encore 5 ouvrages merveilleusement illustrés de photos en couleurs.

- Que vous bénéficiez d'un jardin ;
- Que vous habitiez en appartement ;
- Que vous possédiez une petite serre ;
- Que vous préfériez cultiver vous-même vos légumes et vos fruits ;
- Que vous aimiez transformer vos cultures en produits congelés...

...un de ces ouvrages vous est destiné !

Vous y trouverez certainement les trucs et les conseils que vous attendiez et que seul un spécialiste de la classe de Monsieur Jardinier pouvait vous prodiguer